Johannes Gerbes
Frauke van der Werff

Fit fürs Goethe-Zertifikat A1
Start Deutsch 1

Hueber Verlag

Quellen:

S. 30: München, Berlin © MEV

9. 8. 7.   Die letzten Ziffern
2020   19   18   17   16   bezeichnen Zahl und Jahr des Druckes.
Alle Drucke dieser Auflage können, da unverändert,
nebeneinander benutzt werden.
1. Auflage
© 2007 Hueber Verlag GmbH & Co. KG, 85737 Ismaning, Deutschland
Zeichnungen: Hueber Verlag, Sepp Buchegger
Layout / Satz: Catherine Avak, München
Druck und Bindung: Friedrich Pustet GmbH & Co. KG, Regensburg
Printed in Germany
ISBN 978–3–19–001872–7

Art. 530_05302_001_07

Inhaltsverzeichnis

Vorwort 5

Modul 1: Lesen 6

    Übungen zum Wortschatz 6

    Wortschatz „essen" und „trinken" 6

    Wortschatz „wohnen" 8

    Wortschatz „reisen" 11

    Tipps zum Leseverstehen 16

    Globales Leseverstehen 17

    Selektives Leseverstehen 20

    Detailliertes Leseverstehen 23

    Übungen zum Leseverstehen 25

    Leseverstehen Teil 1: kurze Mitteilungen 25

    Leseverstehen Teil 2: Kleinanzeigen 28

    Leseverstehen Teil 3: Hinweisschilder, Aushänge ... 30

Modul 2: Hören 33

    Übungen zum Wortschatz 33

    Wortschatz „Ich und die anderen" 33

    Wortschatz „Bank", „Post", „Telefon" 36

    Wortschatz „Mit dem Auto, mit dem Zug, zu Fuß" ... 39

    Tipps zum Hörverstehen 41

    Die Hörsituation 42

    Globales Hörverstehen 44

    Selektives Hörverstehen Teil 1 46

    Selektives Hörverstehen Teil 2 47

    Übungen zum Hörverstehen 49

    Hörverstehen Teil 1: kurze Alltagsgespräche ... 49

    Hörverstehen Teil 2: öffentliche Durchsagen ... 51

    Hörverstehen Teil 3: Telefonansagen 52

Modul 3: Schreiben 53

    Übungen zum Wortschatz 53

    Wortschatz „Freizeit", „Hobby" 53

    Wortschatz „Kleidung" 56

    Wortschatz „Körper, Gesundheit" 58

Tipps zum Schreiben *60*
Sätze bauen *60*
Texte bauen *63*
Persönliche Daten formulieren *65*

Übungen zum Schreiben *66*
Schreiben Teil 1: Formular *66*
Schreiben Teil 2: kurze Mitteilung *68*

Modul 4: Sprechen *72*
Übungen zum Wortschatz *72*
Wortschatz „Arbeit, Beruf, Schule" *72*
Wortschatz „Einkaufen" *75*
Wortschatz „Termine, Verabredungen" *79*

Tipps zum Sprechen *82*
Sätze bauen *83*
Texte bauen *85*
Bitten, Aufforderungen formulieren *86*

Übungen zum Sprechen *87*
Sprechen Teil 1: sich vorstellen *87*
Sprechen Teil 2: Fragen formulieren mit Wortkarten / auf Fragen antworten . . *91*
Sprechen Teil 3: Bitten formulieren mit Bildkarten / auf Bitten antworten . . *93*

Modul 5: Simulation *Goethe-Zertifikat A1 / Start Deutsch 1* *96*
Hören *96*
Lesen *99*
Schreiben *105*
Sprechen *106*
Antwortbogen *111*

Anhang *112*
Transkription der Hörtexte *112*
Lösungsschlüssel *118*

Vorwort

Liebe Deutschlernerinnen und Deutschlerner,

in diesem Arbeitsbuch finden Sie 5 Module:
Modul 1: Lesen
Modul 2: Hören
Modul 3: Schreiben
Modul 4: Sprechen

Modul 5: Simulation Prüfung *Goethe-Zertifikat A1/ Start Deutsch 1*

Die Module 1–4 haben drei Teile:
– Wortschatz mit Übungen
– Tipps mit Übungen
– Übungen zur Prüfung

Das Modul 5 hat vier Teile: Hören, Lesen, Schreiben, Sprechen.

Für Modul 2 (Hören) und für Modul 5 (Simulation der Prüfung) brauchen Sie die CD im Buch. Neben den Aufgaben zum Hören finden Sie immer die Track-Nummer. Damit finden Sie den richtigen Hörtext auf der CD.
Die Hörtexte und die Lösungen für alle Übungen finden Sie im Anhang.

Ein Tipp: Machen Sie in den Modulen 1–4 immer zuerst die *Übungen zum Wortschatz!*

Wir wünschen Ihnen viel Freude bei der Arbeit!

Die Autoren

Modul 1: Lesen

Übungen zum Wortschatz

Wortschatz „essen" und „trinken"
(Hilfe finden Sie in der Wortliste auf Seite 8.)

1. Welche Wörter kennen Sie? Ergänzen Sie die Tabelle.

Getränke	Obst	andere Lebensmittel
der Kaffee		der Zucker

2. Welche Antwort passt?

1	2	3	4	5	6	7	8
e	–	–	–	–	–	–	–

1. Wie schmeckt die Birne?	a. Nein, ich habe keinen Hunger.
2. Was möchtest du trinken?	b. Das bekommen Sie am Kiosk.
3. Möchtest du etwas essen?	c. Es schmeckt wunderbar.
4. Der Fisch ist heute sehr gut!	d. Ich bringe Ihnen die Speisekarte.
5. Wo kann ich Mineralwasser kaufen?	e. Gut, vielleicht ein bisschen zu süß.
6. Wie finden Sie das Hähnchen?	f. Ich esse aber lieber Fleisch!
7. Nehmen Sie Zucker in den Kaffee?	g. Vielleicht ein Glas Wein.
8. Wir möchten etwas essen.	h. Ja, und auch ein bisschen Sahne.

3. Was ist richtig? Kreuzen Sie an.

1 Heute will ich nicht kochen!
Komm, wir gehen _c_ .
- [a] in die Disko
- [b] ins Geschäft
- [X] ins Restaurant

2 Wie findest du das Fleisch?
- [a] Es schmeckt wunderbar.
- [b] Ich habe Hunger.
- [c] Ich möchte essen.

3 Wie trinken Sie den Kaffee?
- [a] Mit Milch, bitte.
- [b] Mit Öl, bitte.
- [c] Mit Salz, bitte.

4 Ich möchte zahlen, bringen Sie mir bitte
_____!
- [a] die Ordnung
- [b] die Speisekarte
- [c] die Rechnung

5 Ich nehme Brot mit Butter und _____.
- [a] Reis
- [b] Schinken
- [c] Pommes frites

6 Ich möchte heute Fleisch essen.
- [a] Dann nimm doch den Fisch.
- [b] Dann nimm doch das Hähnchen.
- [c] Dann nimm doch das Ei.

4. In den Sätzen a–j sind zwei Dialoge: „Im Café" und „Am Kiosk".
Schreiben Sie beide Dialoge. Ergänzen Sie die Buchstaben.

[a] Gut, dann nehme ich eine Flasche Wasser.

[b] ~~Was kann ich Ihnen bringen?~~

[c] Nein, lieber eine Tasse Kaffee.

[d] ~~Ich möchte bitte frühstücken.~~

[e] Ja sicher, möchten Sie ein Bier?

[f] Ich nehme Orangensaft, Tee, zwei Brötchen und ein Ei.

[g] Nein danke, ich mag am Morgen nichts Süßes.

[h] ~~Haben Sie auch Getränke?~~

[i] Tut mir leid, wir haben nur Cola, Wasser und Apfelsaft.

[j] Wir haben auch sehr guten Kuchen.

Im Café

1 [d] Ich möchte bitte frühstücken.

2 [b] Was kann ich Ihnen bringen?

3 [ ] _____

4 [ ] _____

5 [ ] _____

Am Kiosk

1 [h] Haben Sie auch Getränke?

2 [ ] _____

3 [ ] _____

4 [ ] _____

5 [ ] _____

5. Wie heißt das Lösungswort?

1. Das gibt es am Morgen. 2. Rot oder weiß? 3. Trinken Sie den Kaffee mit _____? 4. Kinder sollen viel _____ trinken. 5. Obst 6. Das isst man in Deutschland zum Kaffee. 7. Wein, Wasser, Tee, Saft sind _____. 8. Ich muss noch kochen, wir haben heute _____.

6. Schreiben Sie die Fragen.

1 Möchtest du etwas essen?

2 _____?

3 _____?

4 _____?

5 _____?

6 _____?

7 _____?

Nein, ich habe keinen Hunger.

Ein Brötchen mit Schinken, bitte.

Ich möchte gern ein Glas Wasser.

Mein Lieblingsessen ist Hähnchen.

Der Fisch schmeckt wunderbar.

Nein danke, ich habe keinen Durst.

Nein danke, ich rauche nicht.

Wortliste „essen" und „trinken"

1. Welche Wörter kennen Sie? Kreuzen Sie an.
Suchen Sie die unbekannten Wörter im Wörterbuch.

der Apfel	☐	die Banane	☐	das Bier	☐	die Birne	☐
das Brot	☐	das Brötchen	☐	die Butter	☐	das Café	☐
die Disko	☐	der Durst	☐	das Ei	☐	das Essen	☐
der Fisch	☐	die Flasche	☐	das Fleisch	☐	das Frühstück	☐
der Gast	☐	das Getränk	☐	das Glas	☐	das Hähnchen	☐
der Hunger	☐	der Kaffee	☐	die Kartoffel	☐	der Kiosk	☐
der Kuchen	☐	die Lebensmittel	☐	das Lieblings-essen	☐	das Lokal	☐
die Milch	☐	das Obst	☐			das Öl	☐
die Pommes frites	☐	die Rechnung	☐	der Reis	☐	das Restaurant	☐
der Saft	☐	die Sahne	☐	der Salat	☐	das Salz	☐
der Schinken	☐	die Speisekarte	☐	der Tee	☐	die Tomate	☐
das Wasser	☐	der Wein	☐	die Zigarette	☐	der Zucker	☐

2. Wie heißen diese Wörter in Ihrer Muttersprache?

bestellen	_____	kochen	_____
bitter	_____	rauchen	_____
süß	_____	schmecken	_____
ein bisschen	_____	trinken	_____
essen	_____	wunderbar	_____

Wortschatz „wohnen"

(Hilfe finden Sie in der Wortliste auf Seite 11.)

1. Sie wollen Möbel kaufen.
– Schreiben Sie.

1. der Stuhl

2. _____

3. _____

4. _____

5. _____

6. _____

7. _____

8. _____

9. _____

10. _____

11. _____

12. _____

– Was wollen Sie bestellen?

4 Stühle

Bestellung

Bestell.-Nr.	Anzahl	Artikel	Gesamtpreis
	4	*Stühle*	

2. Kreuzen Sie an: Richtig oder Falsch ?

> Apartment mit Parkplatz zu vermieten:
> 1 Zi., Bad, Küche, kl. Balkon, 2. Stock,
> ohne Möbel, sehr günstig, Tel: 030 44 562 1

	Richtig	Falsch
1. Die Wohnung ist klein.	☒	☐
2. Die Wohnung ist nicht für Autofahrer.	☐	☐
3. Man soll das Apartment kaufen.	☐	☐
4. Es gibt einen Garten.	☐	☐
5. Es gibt kein Bett und keinen Schrank.	☐	☐
6. Die Wohnung ist im ersten Stock.	☐	☐
7. Die Miete ist sehr teuer.	☐	☐

3. Welches Wort passt?

a. Adresse b. ~~Wohnung~~ c. Küche d. Sofa e. Möbel f. Zimmer g. groß
h. Tisch i. allein j. Kühlschrank

> *Liebe Manuela,*
>
> *ich möchte Dir von meiner neuen (1) __b__ erzählen, sie ist sehr schön!
> Natürlich ist sie nicht besonders (2) ____, nur zwei (3) ____. Aber ich
> wohne jetzt (4) ____!*
>
> *Ich habe noch nicht viele (5) ____, nur ein Bett, einen (6) ____ und
> ein (7) ____ (für Gäste!).*
>
> *Der (8) ____ steht im Bad, ich habe keine (9) ____, aber ich will
> auch nicht kochen.*
>
> *Wann kommst Du? Hier ist meine (10) ____: Gartenstraße 4A.*
>
> *Ruf mich auf dem Handy an!
> Bis bald, Klara*

9

4. Wie ist der Dialog richtig? Kreuzen Sie bei B die richtige Antwort an.

A: Frau Anders	B: Herr Grau
1 In der Anzeige steht, Sie vermieten eine Wohnung.	☒ Ja, ein Apartment in der Mozartallee. ☐ Ja, ein Doppelzimmer mit Bad.
2 Kann ich die Wohnung besichtigen?	☐ Wann kommen Sie an? ☐ Ja, wann wollen Sie kommen?
3 Morgen Vormittag, vielleicht um elf.	☐ Das Zimmer ist erst um zwölf frei. ☐ Ja gut, die Adresse ist Mozartallee 7, Apartment Nr. 22.
4 Ich möchte noch fragen: Wie viel kostet die Wohnung?	☐ Neunzig Euro mit Frühstück. ☐ Siebenhundert Euro ohne Heizung.
5 Gibt es auch einen Balkon oder einen Garten?	☐ Die Wohnung ist im vierten Stock, der Balkon ist sehr klein. ☐ Sie können im Garten frühstücken.
6 Dann sehen wir uns also morgen.	☐ In Ordnung, das Zimmer ist reserviert. ☐ Ja, um elf. Auf Wiedersehen.
7 Auf Wiedersehen.	

5. Schreiben Sie die Fragen.

1 Sie wollen eine Wohnung vermieten?   Ja, ich will ein Apartment vermieten.
2 _____?   Romanplatz 7, Treppe B, 4. Stock.
3 _____?   Zwei Zimmer, Küche und Bad.
4 _____?   650 Euro im Monat.
5 _____?   Nein, Hunde sind leider verboten.
6 _____?   Sofort, die Wohnung ist frei.
7 _____?   Sie können die Wohnung heute Nachmittag besichtigen.

Wortliste „wohnen"

1. Welche Wörter kennen Sie? Kreuzen Sie an.

Suchen Sie die unbekannten Wörter im Wörterbuch.

die Adresse	☐	die Anzeige	☐	das Apartment	☐	das Bad	☐
der Balkon	☐	das Bett	☐	das Bild	☐	die Blume	☐
das Doppelzimmer	☐	das Einzelzimmer	☐	das Dorf	☐	die Dusche	☐
die Ecke	☐	das Feuer	☐	der Garten	☐	das Haus	☐
die Heimat	☐	der Herd	☐	der Hund	☐	die Küche	☐
der Kühlschrank	☐	das Licht	☐	das Meer	☐	die Miete	☐
die Möbel	☐	der Ort	☐	der Raum	☐	der Schlüssel	☐
der Schrank	☐	der See	☐	das Sofa	☐	die Stadt	☐
der Stock	☐	die Straße	☐	der Tisch	☐	die Toilette	☐
die Treppe	☐	die Uhr	☐	die Wohnung	☐	das Zimmer	☐

2. Wie heißen diese Wörter in Ihrer Muttersprache?

allein	_____	umziehen	_____
duschen	_____	ausmachen	_____
zusammen	_____	vermieten	_____
fernsehen	_____	zumachen	_____
auf sein	_____	wohnen	_____
mieten	_____	benutzen	_____
zu sein	_____	zufrieden	_____

Wortschatz „reisen"

(Hilfe finden Sie in der Wortliste auf Seite 15.)

1. Was brauchen Sie für Ihre Reise? Schreiben Sie.

1.   2.   3.   4.   5.

6.   7.   8.   9.

1 ___der Ausweis___

2 _____

3 _____

4 _____

5 _____

6 _____

7 _____

8 _____

9 _____

11

2. Welches Wort passt?

a. Gepäck b. übernachten ~~c. komme – an~~ d. Bahnhof e. Holst – ab f. Auto

---

```
○○○              Information — Eingang                    ⬭
  ⊘           📋          ↩        ↩↩        →          🖨
E-Mail(s) löschen  Ist Werbung  Antworten  An alle  Weiterleiten  Drucken
```

Hallo Viktor,

ich (1) __c__ morgen in Elmshorn __c__; um 14.32 Uhr bin
ich am (2) _____. (3) _____ Du mich bitte _____? Ich habe leider
sehr viel (4) _____. Ich hoffe, Du kommst mit dem (5) _____.
Noch etwas: Kann ich bei Dir (6) _____ oder muss ich ins Hotel
gehen?

Tschüss bis morgen, Ulli

---

3. Kreuzen Sie an: Richtig oder Falsch ?

> ### Herbsttage am See
>
> Sie wollen im Oktober Urlaub machen?
> Bei uns können Sie spazieren gehen, Rad fahren, Ausflüge machen,
> aber auch gut essen und trinken.
> Das Hotel „Seerose" hat schöne große Zimmer mit Balkon
> Außerdem Sauna, Swimmingpool, Massagen
> und Fitnessstudio.
>
> **Besonders günstige Angebote für Oktober!**
>
> Informationen: www.hotelseerose.com oder bei Ihrem Reisebüro

		Richtig	Falsch
1	Im Sommer und im Herbst ist das Hotel nicht so teuer.	☐	☒
2	Man kann im See baden.	☐	☐
3	Es gibt ein Restaurant im Hotel.	☐	☐
4	Man kann im Hotel Fahrräder kaufen.	☐	☐
5	Die Zimmer sind klein, aber alle mit Balkon.	☐	☐
6	Man kann im Hotel schwimmen gehen.	☐	☐
7	Auskunft bekommt man auch im Reisebüro.	☐	☐
8	Im Oktober sind die Preise nicht so hoch.	☐	☐

4.Welches Wort passt?

a. abfahren b. Sehenswürdigkeiten c. Ausflug d. pünktlich e. reservieren f. fahren
g. Bus h. Stadt i. Liebe

```
○○○            Information — Eingang            ⊝
 ⊘              🖿          ↰      ↞       →      ⊟
E-Mail(s) löschen  Ist Werbung  Antworten  An alle  Weiterleiten  Drucken

(1) _i_ Luisa,

am Sonntag wollen wir einen (2) ____ machen, Du kommst
doch mit?
Wir (3) ____ mit dem (4) ____ nach Jena. Das ist eine schöne
kleine (5) ____ mit vielen (6) ____.
Wir haben bestimmt viel Spaß! Du musst aber (7) ____ sein:
Wir möchten am Sonntagmorgen um acht Uhr (8) ____.
Soll ich einen Platz für Dich (9) ____?

Antworte schnell!

Renate
```

5. Was ist richtig? Kreuzen Sie an.

1 Die Fahrkarte bekommen Sie _a_.
- ☒ am Schalter
- ⓑ im Auto
- ⓒ auf der Autobahn

2 David fliegt im Urlaub _____.
- ⓐ auf den Flughafen
- ⓑ ins Hotel
- ⓒ ins Ausland

3 Wir kommen jetzt am Bahnhof an,
alle Fahrgäste müssen hier _____.
- ⓐ übernachten
- ⓑ aussteigen
- ⓒ abholen

4 Können Sie mir helfen? Ich
brauche _____.
- ⓐ eine Sehenswürdigkeit
- ⓑ eine Auskunft
- ⓒ ein Wetter

5 Ich kenne diese Stadt leider nicht,
ich bin hier _____.
- ⓐ fremd
- ⓑ international
- ⓒ zu Hause

6 Ich nehme ein Taxi, ich habe
sehr viel _____.
- ⓐ Zeit
- ⓑ Gepäck
- ⓒ Arbeit

7 In dieser Stadt gibt es viele _____.
- ⓐ Koffer
- ⓑ Sehenswürdigkeiten
- ⓒ Auskünfte

8 Ich will _____ von Berlin kaufen.
- ⓐ einen Ausweis
- ⓑ einen Reiseführer
- ⓒ eine Fahrkarte

**6. In den Sätzen a–p sind zwei Dialoge: „Mit dem Flugzeug" und „Mit dem Zug".
Schreiben Sie beide Dialoge. Ergänzen Sie die Buchstaben.**

[a] Nein, es geht auch mit dem Personalausweis.

[b] Nein, Sie haben sofort Anschluss, um 16.14 Uhr.

[X̶] ~~Um wie viel Uhr möchten Sie abfliegen?~~

[d] Wann fährt denn der Zug?

[e] Es gibt ein Flugzeug um 8.30 Uhr. Soll ich das für Sie reservieren?

[f] Kann ich die Fahrkarte hier kaufen?

[X̶] ~~Sie fahren mit dem Intercity bis Hamburg Hauptbahnhof.~~

[h] Ja bitte. Brauche ich da einen Pass?

[i] Sie können um 13.22 Uhr fahren, dann sind Sie um 16.05 Uhr in Hamburg.

[j] Am Morgen, noch vor zehn Uhr.

[X̶] ~~Wie komme ich am besten nach Neumünster?~~

[l] Sie müssen sehr pünktlich sein, mindestens eine Stunde vor dem Abflug.

[X̶] ~~Guten Tag, ich will am Freitag nach London fliegen.~~

[n] Und wann muss ich am Flughafen sein?

[o] Muss ich in Hamburg lange warten?

[p] Leider nicht, Fahrkarten bekommen Sie am Bahnhof.

Mit dem Flugzeug

1 [m] Guten Tag, ich will am Freitag
nach London fliegen.

2 [c] Um wie viel Uhr möchten Sie
abfliegen?

3 ☐ _____

4 ☐ _____

5 ☐ _____

6 ☐ _____

7 ☐ _____

8 ☐ _____

Mit dem Zug

1 [k] Wie komme ich am besten nach
Neumünster?

2 [g] Sie fahren mit dem Intercity bis
Hamburg Hauptbahnhof.

3 ☐ _____

4 ☐ _____

5 ☐ _____

6 ☐ _____

7 ☐ _____

8 ☐ _____

Wortliste „reisen"

1. Welche Wörter kennen Sie? Kreuzen Sie an.

Suchen Sie die unbekannten Wörter im Wörterbuch.

die Abfahrt	☐	die Ankunft	☐	der Anschluss	☐	der Ausflug	☐
die Auskunft	☐	das Ausland	☐	das Auto	☐	der Ausweis	☐
die Autobahn	☐	der Automat	☐	die Bahn	☐	der Flughafen	☐
der Bahnhof	☐	der Bus	☐	die Fahrkarte	☐	das Flugzeug	☐
das Gepäck	☐	der Pass	☐	das Hotel	☐	die Information	☐
die Jugend-		der Koffer	☐	die Tasche	☐	das Land	☐
herberge	☐	das Meer	☐	der See	☐	die Reise	☐
das Reisebüro	☐	der Reiseführer	☐	die Rezeption	☐	die Sehenswürdig-	
die Stadt	☐	das Schwimmbad	☐	die Übernachtung	☐	keit	☐
der Urlaub	☐	das Schiff	☐				

2. Wie heißen die Wörter in Ihrer Muttersprache?

abfahren	_____	reisen	_____
abholen	_____	reservieren	_____
ankommen	_____	übernachten	_____
aussteigen	_____	fremd	_____
einsteigen	_____	interessant	_____
baden	_____	international	_____
fahren	_____	pünktlich	_____
fliegen	_____	abfliegen	_____

Tipps zum Leseverstehen

1. Können Sie das schon gut? Bitte kreuzen Sie an.

	Das kann ich gut.	Das kann ich noch nicht.
Ich kann Texte wie Anzeigen, Speisekarten, Reiseprospekte mit bekannten Wörtern lesen. Zum Beispiel: Ferienwohnung an der Nordsee zu vermieten – Schlafzi. – Meeresblick – Tel.		
Ich kann wichtige Informationen im Stadtplan, Telefonbuch, Fahrplan finden. Zum Beispiel: IC 2295 München Hbf 12:23 – München Ost 12:30 – Rosenheim 13:00 – Prien a. Chiemsee 13:17 – Traunstein 13:36 – Freilassing 13:55 – Salzburg Hbf 14:03		
Ich kann eine Wegbeschreibung mit bekannten Wörtern verstehen. Zum Beispiel: Sie müssen die erste Straße links fahren.		
Ich kann persönliche Informationen mit bekannten Wörtern verstehen. Zum Beispiel: Bin beim Arzt, komme um zehn zurück.		
Ich kann wichtige Informationen auf Schildern verstehen. 1. Stock Herrenkleidung 2. Stock Damenmode — Dr. med. Joachim Müller-Rost Internist Sprechstunde		
Ich kann einen einfachen, kurzen Zeitungstext mit Fotos und bekannten Wörtern verstehen. Zum Beispiel: **Keine Touristen am Chiemsee** Es regnet seit Wochen! Prien. Wie die Hotels gestern berichteten …		
Ich kann einen kurzen persönlichen Brief mit bekannten Wörtern verstehen. Zum Beispiel: Liebste Sylvia, Du glaubst es nicht: Sven und ich heiraten!!! Hurra glücklich! Natürlich machen wir nur eine ganz klein und meine Eltern und Du. Du kommst doch, oder? Die Hochzeit ist am 3. Mai. Wir haben noch keine n wohnt ja schon seit einem Jahr bei mir. Sven muss studieren, und mein Job in der Stadtbibliothek geh		

Globales Leseverstehen

1. Was für Texte sind das? Ordnen Sie zu.

1 Fahrplan · **2** Plakat · **3** persönlicher Brief · **4** Fax · **5** E-Mail · **6** Schild

7 Anzeige · **8** SMS · **9** Zeitung

A

> Liebste Sylvia,
> Du glaubst es nicht: Sven und ich heiraten!!!
> Hurra!! Ich bin so wahnsinnig glücklich!
> Natürlich machen wir nur eine ganz kleine
> Hochzeit: Svens Mutter und meine Eltern und
> Du. Du kommst doch, oder?
> Die Hochzeit ist am 3. Mai. Wir haben noch
> keine neue Wohnung, aber Sven wohnt ja schon
> seit einem Jahr bei mir. Sven muss noch ein
> Jahr lang studieren, und mein Job in der
> Stadtbibliothek geht nur noch bis Januar –
> und dann? Ich weiß es nicht, aber es ist mir
> egal!
> Jetzt sind wir jedenfalls glücklich, nur das ist
> wichtig.
> Bitte, ruf mich sofort an!
> Deine sehr verliebte Julia

B

Aktuelle Damenmode!
So billig war Qualität noch nie!
Unsere Sonderangebote dürfen Sie sich nicht entgehen lassen.
In unserer „Boutique Esquire" in der Lagergasse
finden Sie ab Montag die Erfüllung Ihrer Träume!
Eröffnung: Montag, 9.30 Uhr
Wir erwarten Sie mit einer kleinen Überraschung.

C

Information — Eingang

E-Mail(s) löschen | Ist Werbung | Antworten | An alle | Weiterleiten | Drucken

Hallo Stephan,
ich weiß ja, dass Du sehr viel zu tun hast, aber dies ist jetzt
wichtig, also pass bitte auf: Morgen Abend ist das Fußballspiel des Jahres, Bayern gegen Liverpool – und mein
Fernseher ist kaputt!
Kann ich das bei Dir sehen? Ich bringe Getränke mit!
Alles klar? Kay

E

Keine Touristen am Chiemsee
Es regnet seit Wochen!

Prien. Wie die Hotels gestern berichteten Lorem ipsum dolor
sit amet, consectetuer adipiscing elit, sed diam nonummy nibh
euismod tincidunt ut laoreet dolore magna aliquam erat volutpat.
Ut wisi enim ad minim veniam, quis nostrud exerci tation
ullamcorper suscipit lobortis nisl ut aliquip ex ea commodo
consequat. Duis autem vel eum iriure dolor in hendrerit in
vulputate velit esse molestie consequat, vel illum dolore eu
feugiat nulla facilisis at vero et accumsan et iusto odio dignissim
qui blandit praesent luptatum zzril delenit augue duis dolore te
feugait nulla facilisi. Lorem ipsum dolor sit amet, consectetuer
adipiscing elit, sed diam nonummy nibh euismod tincidunt ut

D

IC 2295 München Hbf 12:23 – München Ost 12:30 – Rosenheim 13:00 –
Prien a. Chiemsee 13:17 – Traunstein 13:36 – Freilassing 13:55 –
Salzburg Hbf 14:03

F

Dr. med. Herrmann Schulte
Hals-Nasen-Ohren-Arzt

Sprechstunde: Mo-Do, 9.00 – 12.30
Hausbesuche nach telefonischer Voranmeldung

G

> WAS MACHT IHR
> HEUTE?

I

Pflanz Dich!
Die besondere Gartenausstellung

Mit
✿ Baumschule
✿ Kinder-Garten
✿ Kräuterallee
✿ Parkkonzerten
✿ Jahreszeiten-Küche
u.v.a. Angeboten

02.04. bis 03.06.

Volkspark
Narzissenstraße 22
12345 Blumenstadt
Infos: 0 12-23 45 67
www.pflanzdich.de

H

Fax-Nr: 071567388
Betr: Mein Schreiben vom 15.9.2006

Wie Sie aus der Anlage ersehen, habe ich vor vier Wochen bei
Ihrer Firma einen Farbdrucker bestellt. Bisher ist das Gerät
nicht angekommen.
Sie sprechen in Ihrem Prospekt aber von 10 Tagen Lieferzeit.
Wenn ich nicht umgehend von Ihnen höre, werde ich meine
Bestellung zurückziehen.

2. Schlüsselwörter lesen.
Beispiel: Wo sind die Schlüsselwörter?

Sie müssen nicht den ganzen Text verstehen, Sie sollen das Thema finden, die „Schlüsselwörter".
Bitte lesen Sie den Text zwei oder drei Mal.

Die Schlüsselwörter sind:
Reparaturarbeiten, Waschraum, Fahrradraum

> Liebe Mitbewohner,
> in der nächsten Woche müssen wir im Keller
> <u>Reparaturarbeiten</u> durchführen. Am Montag und
> Dienstag können Sie den <u>Waschraum</u> und den
> <u>Fahrradraum</u> nicht benutzen.
> Bitte entschuldigen Sie diese kleine Störung!
>
> Die Hausverwaltung

a. Wo sind die Schlüsselwörter? Unterstreichen Sie wie im Beispiel.

Sie müssen nicht den ganzen Text verstehen, Sie sollen das Thema finden, die „Schlüssel-wörter". Bitte lesen Sie den Text zwei oder drei Mal!

Die Schlüsselwörter sind:

—————————————

—————————————

—————————————

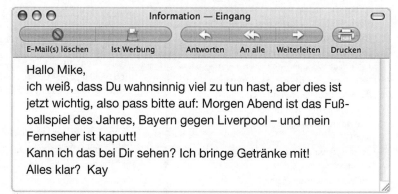

Hallo Mike,
ich weiß, dass Du wahnsinnig viel zu tun hast, aber dies ist jetzt wichtig, also pass bitte auf: Morgen Abend ist das Fuß-ballspiel des Jahres, Bayern gegen Liverpool – und mein Fernseher ist kaputt!
Kann ich das bei Dir sehen? Ich bringe Getränke mit!
Alles klar? Kay

Sehen Sie jetzt die Antwort im Lösungsschlüssel Seite 119.

b. Wo sind die Schlüsselwörter? Unterstreichen Sie wie im Beispiel.

Sie müssen nicht den ganzen Text verstehen, Sie sollen das Thema finden, die „Schlüsselwörter". Bitte lesen Sie den Text zwei oder drei Mal!

Die Schlüsselwörter sind:

—————————————

—————————————

—————————————

Sehen Sie jetzt die Antwort im Lösungsschlüssel Seite 119.

> ★
> **Das Rap-Konzert „Dolmen on fire"**
> **findet heute nicht statt.**
> **Der Eintritt wird zurückgezahlt.**
> ★
> **Kasse geöffnet:**
> **jeden Abend von 19.30 – 20.30 Uhr**
> ★

c. Wo sind die Schlüsselwörter? Unterstreichen Sie wie im Beispiel.

Sie müssen nicht den ganzen Text verstehen, Sie sollen das Thema finden, die „Schlüsselwörter". Bitte lesen Sie den Text zwei oder drei Mal!

> Liebe Susanne,
> dies ist ein ganz besonderer Brief. Du wirst es nicht glauben: Ich habe endlich Arbeit gefunden! Ab nächsten Monat bin ich Projekt-Assistentin bei TNL in Goslar. Das ist eine Firma für technische Projekte, aber ich arbeite bei der Organisation. Du kannst Dir nicht vorstellen, wie ...

Die Schlüsselwörter sind: _____

Sehen Sie jetzt die Antwort im Lösungsschlüssel Seite 119.

d. Wo sind die Schlüsselwörter? Unterstreichen Sie wie im Beispiel.

Sie müssen nicht den ganzen Text verstehen, Sie sollen das Thema finden, die „Schlüsselwörter". Bitte lesen Sie den Text zwei oder drei Mal!

> ### Aktuelle Damenmode!
> So billig war Qualität noch nie!
> Unsere Sonderangebote dürfen Sie sich nicht entgehen lassen.
> In unserer „Boutique Esquire" in der Lagergasse
> finden Sie ab Montag die Erfüllung Ihrer Träume!
> **Eröffnung: Montag, 9.30 Uhr**
>
> Wir erwarten Sie mit einer kleinen Überraschung.

Die Schlüsselwörter sind:

_____

_____

_____

Sehen Sie jetzt die Antwort im Lösungsschlüssel Seite 119.

e. Wo sind die Schlüsselwörter? Unterstreichen Sie wie im Beispiel.

Sie müssen nicht den ganzen Text verstehen, Sie sollen das Thema finden, die „Schlüsselwörter". Bitte lesen Sie den Text zwei oder drei Mal!

> **An:** Europe-Transport
> **Fax-Nr:** 0543/77 64 9
> **Betr.:** Beschädigte Waren
>
> In den sechs Kisten Rotwein, die uns am 13.4. vom „Weingut Nahetrauben" geliefert wurden, sind vier Flaschen Spätburgunder kaputt bei uns angekommen.
> Am Telefon versicherte uns die Weinfirma, dass dieser Schaden ...

Die Schlüsselwörter sind: _____

Sehen Sie jetzt die Antwort im Lösungsschlüssel Seite 119.

Selektives Leseverstehen

Lesen Sie zuerst die Aufgabe ganz genau! Sie müssen die Frage gut verstehen. Dann lesen Sie den Text und suchen die Antwort.

Beispiel:

Wie ist das Wetter morgen in Süddeutschland? **In welcher Zeile** finden Sie die Antwort?

> 1 **Die Glosse zum Wochenende:** Fritz, der fröhliche Wetterfrosch
> 2 Die Wetteraussichten für morgen sind gar nicht so schlecht: Im Norden soll
> 3 es zwar wieder den ganzen Tag regnen, aber das macht den Friesen ja
> 4 nichts aus. Sie ziehen einfach das gelbe Kittelchen an und gehen spazieren.
> 5 Im Süden ist es ein bisschen besser; da regnet es wahrscheinlich nur am
> 6 Nachmittag, gehen Sie also am Morgen einkaufen! Und wirklich schön ist
> 7 das Wetter morgen in unserer geliebten Hauptstadt: In Berlin scheint die
> 8 Sonne! Da können unsere Politiker den ganzen Tag im Park sitzen.

Die Antwort steht in Zeile 5 / 6.

Haben Sie die Antwort auch gefunden? Nein? Dann lesen Sie die Frage und den Text bitte noch einmal!

a. In welcher Zeile finden Sie diese Informationen?

Lesen Sie zuerst die Aufgabe ganz genau! Sie müssen die Frage gut verstehen. Dann lesen Sie den Text und suchen die Antwort.
Wo steht das?

1. Man kann etwas essen.   Zeile _____
2. Man kann Musik hören.   Zeile _____
3. Das Restaurant ist die ganze Nacht geöffnet.   Zeile _____

Lesetext 1:

> 1 **Neueröffnung „Bistrot chez Maurice"**
>
> 2 Ab Samstag sind wir wieder für Sie da!
> 3 Unser Bistrot ist neu renoviert,
> 4 aber sonst ist alles wie früher:
> 5 René kocht für Sie französische Spezialitäten,
> 6 das Trio Charlène sorgt für romantische Atmosphäre,
> 7 Sie genießen einen angenehmen, entspannten Abend!
> 8 Auch unsere Öffnungszeiten sorgen für Entspannung:
> 9 Von 20.00 Uhr bis in den frühen Morgen feiern wir
> 10 im Bistrot chez Maurice!
> 11 Sie sollten dabei sein!
>
>

Haben Sie die Lösung gefunden? Nein? Dann lesen Sie die Frage und den Text bitte noch einmal!

b. In welchem Text finden Sie die Antwort?

Lesen Sie zuerst die Aufgabe ganz genau! Sie müssen die Frage gut verstehen. Dann lesen Sie den Text und suchen die Antwort.

Sie möchten ein Flugticket im Internet kaufen. Welche Internet-Anzeige ist richtig? _____

A   **B**   **C**

Haben Sie die Lösung gefunden? Nein? Dann lesen Sie die Frage und die Anzeigen bitte noch einmal!

c. Welche Informationen finden Sie?

Lesen Sie zuerst die Aufgabe ganz genau! Sie müssen die Frage gut verstehen. Dann lesen Sie den Text und suchen die Antwort.

1 Welche Information finden Sie in Zeile 4? Kreuzen Sie an.
- [a] Studentin
- [b] Hausfrau
- [c] Schülerin

2 Welche Information finden Sie in Zeile 6? Kreuzen Sie an.
- [d] Hobbys
- [e] Trinken
- [f] Schlafen

3 Welche Information finden Sie in Zeile 8/9? Kreuzen Sie an.
- [g] Fußball
- [h] Lesen
- [i] Reisen

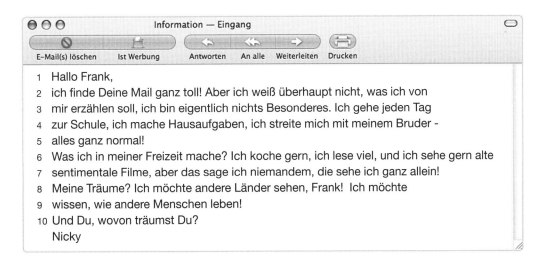

Haben Sie die Lösungen gefunden? Nein? Dann lesen Sie die Frage und den Text bitte noch einmal!

d. Was steht in den Briefen?

Suchen Sie die Information und ordnen Sie zu.

	Dank	Frage	Einladung	Entschuldigung
Brief				

Brief 1:

> 1 Lieber Herr Schulmann,
> 2 in der Tat ist uns wohl ein Fehler unterlaufen: Sie haben die falsche Sendung
> 3 bekommen. Ich möchte mich im Namen der Firma „Rosentisch" in aller Form
> 4 bei Ihnen entschuldigen, der Vorgang wird sich ganz sicher nicht
> 5 wiederholen.

In welcher Zeile steht die wichtige Information? Zeile _____.

Brief 2:

In welcher Zeile steht die wichtige Information? Zeile _____.

> 1 Hallo Ihr Lieben,
> 2 seid Ihr alle gesund? Geht es Euch gut? Hier bei uns herrscht das übliche
> 3 Chaos, überall stehen noch die Kisten vom Umzug. Aber das ist egal: Wir
> 4 wollen, dass Ihr jetzt kommt und unsere neue Wohnung seht!
> 5 Also, an diesem Wochenende, okay? Ihr müsst mir nur schreiben, wann Ihr
> 6 kommt – wir haben noch kein Telefon!

Brief 3:

> 1 Liebe Oma,
> 2 jetzt wunderst Du Dich aber, dass Du von mir einen Brief bekommst, nicht
> 3 wahr?
> 4 Dein Paket habe ich schon vor drei Wochen bekommen: Es sind genau die
> 5 Bücher, die ich haben wollte. Du bist die beste Oma, die es gibt!
> 6 Am Wochenende ziehe ich um nach Göttingen, ich habe mit zwei anderen
> 7 Studentinnen eine Wohnung gemietet.

In welcher Zeile steht die wichtige Information? Zeile _____.

Haben Sie die Lösung gefunden? Nein? Dann lesen Sie die Frage und den Text bitte noch einmal!

e. Kreuzen Sie an: Richtig oder Falsch ?

Lesen Sie zuerst den Text. Dann lesen Sie die Aufgabe und kreuzen an.

1 Aus Ediths Tagebuch:
2 ... Ich habe eigentlich nicht viel zu tun, trotzdem habe ich nie Zeit! Natürlich muss ich
3 rechtzeitig im Büro sein, aber das ist nicht schwierig. Es sind nur 10 Minuten zu Fuß und
4 ich kann auch noch eine Tasse Kaffee und ein Brötchen mitnehmen. Ich frühstücke dann
5 gemütlich am Schreibtisch, während ich meine E-Mails lese.
6 Meine Kollegin kommt meistens später, sie muss immer noch ihre Tochter zur Schule
7 bringen. Ich möchte auch gern einen Mann und Kinder haben, aber erst in ein paar Jahren,
8 jetzt interessiere ich mich mehr für andere Sachen: Ich jogge jeden Abend mit meinen
9 Freundinnen, am Wochenende gehen wir in die Disko und im Sommer fahre ich mit meiner
10 Familie nach Spanien ...

	Richtig	Falsch
a. Die junge Frau arbeitet im Büro.	☒	☐
b. Sie fährt mit der Straßenbahn zur Arbeit.	☐	☐
c. Zum Frühstück isst sie Müsli.	☐	☐
d. Ihre Kollegin hat ein Kind.	☐	☐
e. Sie möchte später auch heiraten.	☐	☐
f. In den Ferien fährt sie mit ihren Freundinnen nach Spanien.	☐	☐

Haben Sie die Lösung gefunden? Nein? Dann lesen Sie die Frage und den Text bitte noch einmal!

Detailliertes Leseverstehen

a. Kreuzen Sie an: Richtig oder Falsch ?

In diesem Text ist jedes Wort wichtig. Suchen Sie zuerst alle bekannten Wörter.
Vielleicht können Sie beim zweiten Lesen auch die anderen Wörter verstehen.

	Richtig	Falsch
1. Gabi kommt heute nicht.	☐	☐
2. Gabi fährt mit dem Bus.	☐	☐
3. Der Zug ist nicht pünktlich.	☐	☐

```
ZUG KOMMT SEHR
SPAET —
NEHME TAXI —
GABI
```

b. Kombinieren Sie: Welche SMS-Texte gehören zusammen?

In diesem Text ist jedes Wort wichtig. Suchen Sie zuerst alle bekannten Wörter.
Vielleicht können Sie beim zweiten Lesen auch die anderen Wörter verstehen.

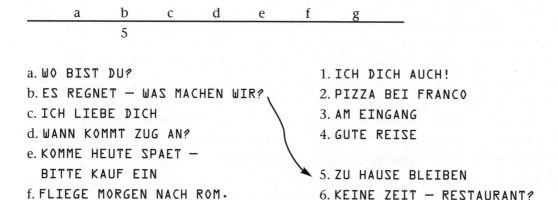

	a	b	c	d	e	f	g
		5					

a. WO BIST DU?

b. ES REGNET — WAS MACHEN WIR?

c. ICH LIEBE DICH

d. WANN KOMMT ZUG AN?

e. KOMME HEUTE SPAET —
   BITTE KAUF EIN

f. FLIEGE MORGEN NACH ROM.

g. WAS MACHT IHR HEUTE?

1. ICH DICH AUCH!

2. PIZZA BEI FRANCO

3. AM EINGANG

4. GUTE REISE

5. ZU HAUSE BLEIBEN

6. KEINE ZEIT — RESTAURANT?

7. UM 19.00

c. Welche Sätze sind falsch? Unterstreichen Sie die falschen Sätze.

In diesem Text ist jedes Wort wichtig. Suchen Sie zuerst alle bekannten Wörter.
Vielleicht können Sie beim zweiten Lesen auch die anderen Wörter verstehen.

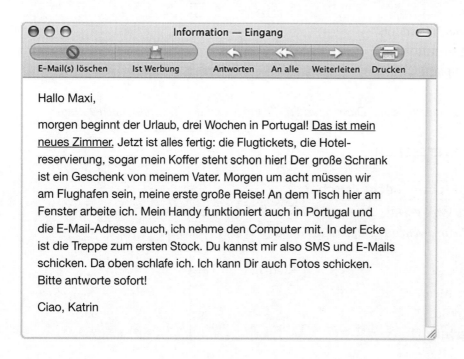

Information — Eingang

E-Mail(s) löschen   Ist Werbung   Antworten   An alle   Weiterleiten   Drucken

Hallo Maxi,

morgen beginnt der Urlaub, drei Wochen in Portugal! <u>Das ist mein neues Zimmer.</u> Jetzt ist alles fertig: die Flugtickets, die Hotelreservierung, sogar mein Koffer steht schon hier! Der große Schrank ist ein Geschenk von meinem Vater. Morgen um acht müssen wir am Flughafen sein, meine erste große Reise! An dem Tisch hier am Fenster arbeite ich. Mein Handy funktioniert auch in Portugal und die E-Mail-Adresse auch, ich nehme den Computer mit. In der Ecke ist die Treppe zum ersten Stock. Du kannst mir also SMS und E-Mails schicken. Da oben schlafe ich. Ich kann Dir auch Fotos schicken. Bitte antworte sofort!

Ciao, Katrin

Schreiben Sie die „falschen" Sätze.

Das ist mein neues Zimmer. _____

_____

_____

Übungen zum Leseverstehen

Leseverstehen Teil 1: kurze Mitteilungen

a. Sind die Sätze 1–5 Richtig **oder** Falsch **? Kreuzen Sie an.**

Bitte lesen Sie zuerst die Texte und die Fragen. Beim zweiten Lesen sollen Sie antworten: Sind die Sätze 1–5 richtig oder falsch?

Beispiel: Christian ist Student.   Falsch

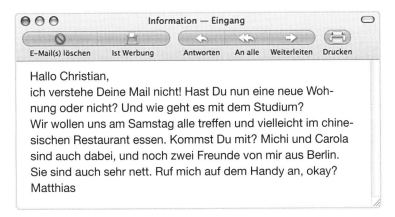

```
⊙ ○ ○                Information — Eingang              ⊖
   ⊘           🖫        ↩        ↩        →        🖨
E-Mail(s) löschen   Ist Werbung   Antworten   An alle   Weiterleiten   Drucken

Hallo Christian,
ich verstehe Deine Mail nicht! Hast Du nun eine neue Woh-
nung oder nicht? Und wie geht es mit dem Studium?
Wir wollen uns am Samstag alle treffen und vielleicht im chine-
sischen Restaurant essen. Kommst Du mit? Michi und Carola
sind auch dabei, und noch zwei Freunde von mir aus Berlin.
Sie sind auch sehr nett. Ruf mich auf dem Handy an, okay?
Matthias
```

1. Matthias will am Samstag mit seinen Freunden
   zusammen sein.   Richtig   Falsch
2. Christian soll Matthias anrufen.   Richtig   Falsch

Liebe Frau Müller,

Sie wissen ja, ich wohne seit sechs Monaten in dem kleinen Apartment neben Ihrer Wohnung. Im Moment bin ich aber nicht in Leipzig, ich bin in London und mache ein Praktikum bei British Airways, das ist sehr wichtig für mein Studium.

Am Wochenende kommt meine Schwester nach Leipzig und sie möchte in meiner Wohnung übernachten. Sie hat einen Schlüssel für die Wohnung, aber sie kann vielleicht das Gas nicht anmachen, und das Licht und Wasser usw. – da gibt es sicher ein paar Probleme! Können Sie ihr bitte helfen?

Ich danke Ihnen, Sie sind wirklich sehr freundlich!

Im Juli bin ich wieder in Leipzig, bis dahin ganz herzliche Grüße von

Michaela Berger

---

3. Michaela hat ein Zimmer in Frau Müllers Wohnung.   Richtig   Falsch
4. Michaela studiert jetzt in England.   Richtig   Falsch
5. Die Schwester will im Juli bei Michaela wohnen.   Richtig   Falsch

b. Sind die Sätze 1–5 Richtig oder Falsch ? Kreuzen Sie an.

Bitte lesen Sie zuerst die Texte und die Fragen. Beim zweiten Lesen sollen Sie antworten: Sind die Sätze 1–5 richtig oder falsch?

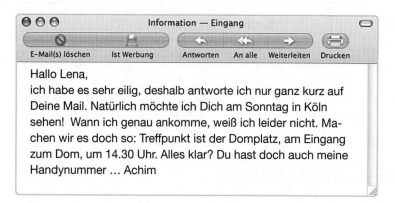

Information — Eingang

E-Mail(s) löschen   Ist Werbung   Antworten   An alle   Weiterleiten   Drucken

Hallo Lena,
ich habe es sehr eilig, deshalb antworte ich nur ganz kurz auf Deine Mail. Natürlich möchte ich Dich am Sonntag in Köln sehen! Wann ich genau ankomme, weiß ich leider nicht. Machen wir es doch so: Treffpunkt ist der Domplatz, am Eingang zum Dom, um 14.30 Uhr. Alles klar? Du hast doch auch meine Handynummer … Achim

1. Achim will sich mit Lena treffen.   Richtig   Falsch

2. Achims Zug kommt um 14.30 in Köln an.   Richtig   Falsch

Liebste Sylvia,
Du glaubst es nicht: Sven und ich heiraten!!! Hurra!! Ich bin so wahnsinnig glücklich! Natürlich machen wir nur eine ganz kleine Hochzeit: Svens Mutter und meine Eltern und Du. Du kommst doch, oder?
Die Hochzeit ist am 3. Mai. Wir haben noch keine neue Wohnung, aber Sven wohnt ja schon seit einem Jahr bei mir. Sven muss noch ein Jahr lang studieren, und mein Job in der Stadtbibliothek geht nur noch bis Januar – und dann? Ich weiß es nicht, aber es ist mir egal!
Jetzt sind wir jedenfalls glücklich, nur das ist wichtig.
Bitte, ruf mich sofort an!
Deine sehr verliebte Julia

3. Julia will viele Leute zur Hochzeit einladen.   Richtig   Falsch

4. Sven und Julia wohnen seit 12 Monaten zusammen.   Richtig   Falsch

5. Sven arbeitet in der Stadtbibliothek.   Richtig   Falsch

c. Sind die Sätze 1–5 Richtig oder Falsch ? Kreuzen Sie an.

Bitte lesen Sie zuerst die Texte und die Fragen.
Beim zweiten Lesen sollen Sie antworten:
Sind die Sätze 1–5 richtig oder falsch?

> Hallo Karla,
>
> herzlichen Dank für Deine Einladung, natürlich komme ich gern zu Deinem Geburtstag. Du sprichst von einer Gartenparty – hoffentlich ist am Samstag das Wetter gut! Also jedenfalls: Monika und ich, wir kommen mit dem Auto und wir bringen auch einen Küchentisch mit. Brauchst Du sonst noch etwas?
>
> Tschüss, Hannes

1. Karla hat am Samstag Geburtstag.	Richtig	Falsch
2. Monika und Hannes bringen Kuchen mit.	Richtig	Falsch

Liebster Ralf,
ich schreibe Dir einen Brief, weil mein Computer wieder einmal zur Reparatur ist – was kann ich mit dem Ding nur machen? Ich glaube fast, ich brauche einen neuen Computer, es geht so nicht mehr weiter! Er ist so oft kaputt, das siehst Du ja auch.

Kannst Du mir helfen, Ralf? Du weißt ja, ich habe nicht viel Geld, aber ich brauche einen guten Computer. Kannst Du zu mir kommen und mit mir in den Techno-Markt gehen und mir ein paar Tipps geben?

Auf dem neuen Computer möchte ich dann auch mehr Programme haben, für Fotos und Grafik, Du kennst das sicher alles. Vielleicht kannst Du am Wochenende kommen, der Techno-Markt ist immer geöffnet.

Bitte, antworte mir schnell!
Liebe Grüße von Brigitte

3. Brigittes Computer ist ganz neu.	Richtig	Falsch
4. Sie möchte den alten Computer von Ralf kaufen.	Richtig	Falsch
5. Der Techno-Markt ist am Sonntag geschlossen.	Richtig	Falsch

Leseverstehen Teil 2: Kleinanzeigen

Lesen Sie die Texte und die Aufgaben 1–8.
Welche Internet-Adresse ist richtig? Kreuzen Sie an: a oder b?

Lesen Sie zuerst die Frage. Sie müssen die Aufgabe gut verstehen. Suchen Sie dann die Antwort im Text.

Beispiel: Sie wollen in Bayern Urlaub machen.
Wo bekommen Sie Informationen?

1. Sie sind in Berlin und möchten heute Abend einen Film sehen.
Wo finden Sie Informationen? Kreuzen Sie an.

2. Sie möchten im Internet eine Theaterkarte reservieren.
Wo können Sie das? Kreuzen Sie an.

3. Sie möchten wissen: Regnet es heute in Frankfurt?
Wo finden Sie Informationen? Kreuzen Sie an.

a www.frankfurtcinema.de

-> Der Mann, der aus dem Regen kam
-> Jenseits des Regenbogens
-> Der Regenmacher

b www.hessenservice.com

- Zeitungsdienst
- Wetter heute und morgen
- ADAC-Straßenservice
- Stadtplan Frankfurt

4. Sie sind in Rostock und möchten mit dem Zug am Abend in Berlin ankommen.
Welchen Zug nehmen Sie? Kreuzen Sie an.

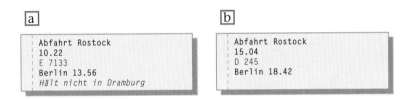

a

```
Abfahrt Rostock
10.22
E 7133
Berlin 13.56
Hält nicht in Dramburg
```

b

```
Abfahrt Rostock
15.04
D 245
Berlin 18.42
```

5. Sie sind in München und möchten in einem eleganten Restaurant essen.
Wo finden Sie Informationen? Kreuzen Sie an.

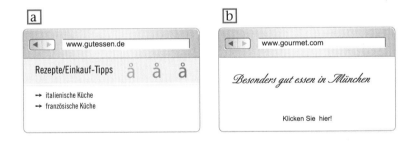

a www.gutessen.de

Rezepte/Einkauf-Tipps

→ italienische Küche
→ französische Küche

b www.gourmet.com

Besonders gut essen in München

Klicken Sie hier!

6. Sie möchten für den Urlaub ein Apartment am Meer mieten.
Wo können Sie das? Kreuzen Sie an.

a www.nordsee.de

→ Küste
→ Wattenmeer
→ Schiffe
→ Ferienwohnungen
→ Inseln

b www.seenplatte.de

geografische Karte | Verkehrsverbindungen
Schiffsfahrpläne | Hotels | Pensionen

7. Sie suchen Informationen über den Starnberger See nicht weit von München. Wo finden Sie die? Kreuzen Sie an.

8. Sie sind in Berlin und möchten die Stadt besichtigen. Wo finden Sie Informationen? Kreuzen Sie an.

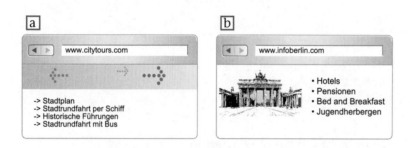

Leseverstehen Teil 3: Hinweisschilder, Aushänge

Lesen Sie die Texte und die Aufgaben 1–8.
Kreuzen Sie an: Richtig oder Falsch ?

Lesen Sie zuerst die Information neben dem Text, dann den Text und die Aufgabe.
Beim zweiten Lesen suchen Sie die Antwort.

Beispiel: Am Bahnhof

Gleis 1 und 2 sind heute geschlossen.

Ri☒tig   Falsch

> Wegen Reparaturarbeiten fahren
> von Gleis 1 und 2 heute keine Züge.
> Informationen in der Bahnhofshalle.

1. An der Arztpraxis

Am Mittwochnachmittag ist Dr. Markensen
nicht in der Praxis.

Richtig   Falsch

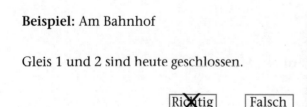

> **Dr. Matthias M. Markensen**
>
> Arzt für Hals-, Nasen-, Ohrenkrankheiten
>
> **Sprechstunde**
> Mo–Do, 9.00–13.00 Uhr
> Fr 14.00–18.00 Uhr

2. An der Tür der Schule

Am Freitag treffen sich die Schüler mit den
Lehrern.

Richtig   Falsch

Liebe Eltern!
Am Freitag haben wir Elternabend.
Wir möchten, dass alle Eltern
an diesem Abend mit den Lehrern sprechen.

Bitte nicht vergessen: Freitag, 20.00 Uhr.

3. In der Schule

Am Wochenende gibt es ein Musik-Festival.

Richtig   Falsch

Liebe Schülerinnen und Schüler!

Für das Schulfest am Wochenende ist ein
Verkaufsmarkt geplant.
Jeder kann einen Stand einrichten und seine
alten Sachen verkaufen:
Bücher, Musik-CDs, Instrumente, Kleider ...
Interessierte melden sich bitte im Sekretariat!

4. An der U-Bahn

Man kann mit dem Bus nach Klammroth
fahren.

Richtig   Falsch

Die Linie 3 fährt in dieser Woche nur bis Holzdorf.
Reisende nach Klammroth und Ulzenen
können die Anschlussbusse benutzen.

5. Am Restaurant

Heute Abend gibt es Fisch.

Richtig   Falsch

Liebe Gäste!
Heute haben wir etwas ganz Besonderes für Sie:
Ein Argentinischer Abend
mit Musik und Super-Steaks.
Um 22.30 Uhr:

Argentinischer Tango mit

Kita und Manuel!

6. An der Haltestelle

Samstagnacht fahren sehr wenige Busse.

Richtig   Falsch

> Busverkehr Linie 7 am Wochenende:
> Samstag 6.00 – 22.00 alle 20 Minuten
> Nach 22.00 kein Busverkehr
>
> Sonntag 8.00 – 22.00 alle 30 Minuten
> Nach 22.00 kein Busverkehr

7. Im Gemüsegeschäft

Der Salat ist heute nicht so teuer.

Richtig   Falsch

> *Heute ganz frisch!*
> *Spanische Orangen, Tomaten aus Italien!*
> *Besonders günstig: Holländischer Salat*
> *Außerdem: Frische, süße Äpfel aus Südtirol!*

8. An der Stadtbibliothek

Heute ist der 3. Januar. Sie können heute nicht in die Bibliothek gehen.

Richtig   Falsch

> **Wegen Inventur geschlossen!**
> **Wir sind am Mittwoch, 4. Januar wieder für Sie da!**
> **Wenn Sie dringende Wünsche und Fragen haben,**
> **benutzen Sie bitte unseren Telefonservice:**
> **800 444 345**

*Der Test „Lesen" für die Niveaustufe A1 dauert circa 25 Minuten und hat drei Teile
(kurze Mitteilungen, Anzeigen und Schilder). Eine „echte Prüfung" finden Sie in*
Modul 5: Simulation Goethe-Zertifikat A1/Start Deutsch 1 auf Seite 96.

Modul 2: Hören

Übungen zum Wortschatz

Wortschatz „Ich und die anderen"

(Hilfe finden Sie in der Wortliste auf S. 35.)

1. Ergänzen Sie.

Meine Familie

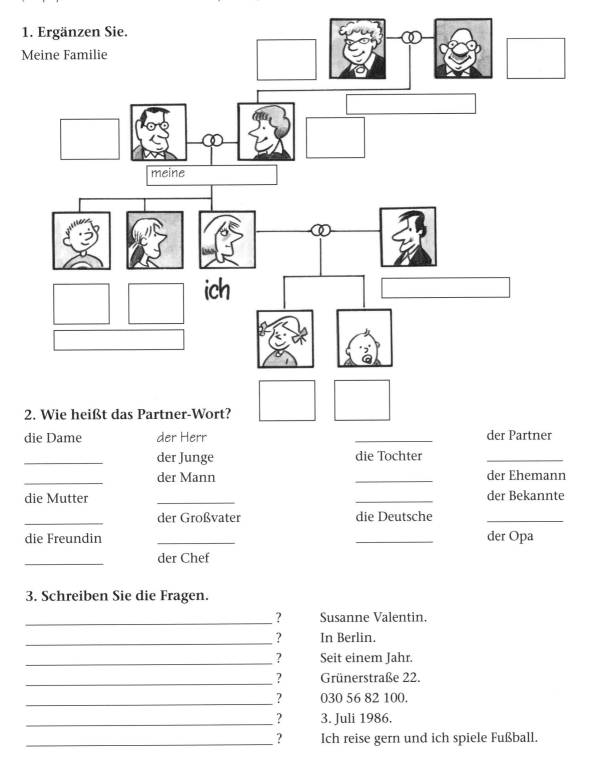

meine

ich

2. Wie heißt das Partner-Wort?

die Dame	der Herr	_____	der Partner
_____	der Junge	die Tochter	
_____	der Mann	_____	der Ehemann
die Mutter		_____	der Bekannte
_____	der Großvater	die Deutsche	_____
die Freundin	_____	_____	der Opa
_____	der Chef		

3. Schreiben Sie die Fragen.

_____ ?		Susanne Valentin.
_____ ?		In Berlin.
_____ ?		Seit einem Jahr.
_____ ?		Grünerstraße 22.
_____ ?		030 56 82 100.
_____ ?		3. Juli 1986.
_____ ?		Ich reise gern und ich spiele Fußball.

4. In den Sätzen a–l sind drei Dialoge: „Wohnung", „Beruf" und „Heimat".
Schreiben Sie die Dialoge und ergänzen Sie die Buchstaben.

a Ich bin Lehrerin.

~~b Wohnen Sie hier in Hamburg?~~

c Und sind Sie schon lange in Deutschland?

d Seit zwei Jahren.

e An einer Sprachenschule.

~~f Was sind Sie von Beruf?~~

g Wohnen Sie dort allein?

h Wo unterrichten Sie denn?

i Ja, in Hamburg-Altona.

~~j Woher kommen Sie?~~

k Nein, zusammen mit meinen Eltern.

l Aus der Türkei.

Wohnung	Beruf	Heimat
1 [b] Wohnen Sie hier in Hamburg?	1 [f] Was sind Sie von Beruf?	1 [j] Woher kommen Sie?
2 [ ] _____	2 [ ] _____	2 [ ] _____
3 [ ] _____	3 [ ] _____	3 [ ] _____
4 [ ] _____	4 [ ] _____	4 [ ] _____

5. Wie heißt das Lösungswort?

1. sehr kleines Kind 2. Leute

3. Mann 4. nicht verheiratet

5. Eltern und Kinder 6. Er ist verheiratet.

6. Welches Wort passt?

a. antwortet b. Freunde c. einladen ~~d. lieber~~ e. Restaurant f. Hochzeit g. freue

Liebe Sybille, (1) __d__ Horst,

wir wollen heiraten!! Ist das nicht wunderbar?

Die (2)_____ ist am 20. Mai im Rathaus in Esslingen.

Um 12.00 Uhr treffen wir uns dann im (3)_____ „Rosengarten" zum Essen.

Ihr seid meine besten (4)_____ und ich möchte Euch gern (5)_____.

Kommt bitte um 12.00 Uhr zum „Rosengarten" in der Blumenstraße.

Könnt Ihr kommen? Ich (6)_____ mich so auf Euch!

Bitte, (7)_____ mir schnell!

Eure sehr glückliche Susanne

7. Finden Sie die Definition.

a. Sie ist 12 Jahre alt.	=	Sie ist ein Mädchen.
b. Er ist 13 Jahre alt.	=	Er _____
c. Sie sind 13 Jahre alt.	=	Sie _____
d. Wir kennen uns.	=	Wir _____
e. Ich mag ihn sehr, sehr gern.	=	Er _____
f. Sie ist mit mir verheiratet.	=	Sie _____
g. Sie ist nicht verheiratet.	=	Sie _____
h. Sie ist meine Schwester.	=	Wir _____
i. Ich habe keine Familie.	=	Ich wohne _____
j. Wir sind Partner.	=	Wir arbeiten _____

8. Welches Wort passt?

a. Entschuldigen b. heiße c. besuchen d. da e. vorstellen f. Name g. leid h. ist

A: Guten Tag, darf ich mich (1) _____? Ich bin Joachim Klein von der Firma Clausen und Co. Kann ich mit Frau Johansen sprechen?

B: (2) _____ Sie, wie ist Ihr (3) _____?

A: Ich (4) _____ Joachim Klein.

B: Es tut mir (5) _____, Herr Klein, Frau Johansen (6) _____ leider nicht (7) _____

A: Kann ich Frau Johansen vielleicht am Nachmittag (8) _____?

B: Ja gut, um 15.00 Uhr.

Wortliste „Ich und die anderen"

1. Welche Wörter kennen Sie? Kreuzen Sie an.
Suchen Sie die unbekannten Wörter im Wörterbuch.

das Alter ☐	die Antwort ☐	die Arbeit ☐	das Baby ☐
das Beispiel (z. B.) ☐	der/die Bekannte ☐	der Beruf ☐	der Bruder ☐
die Schwester ☐	der Chef ☐	die Chefin ☐	die Dame ☐
der Herr ☐	der Dank ☐	der Ehemann ☐	die Ehefrau ☐
die Einladung ☐	die Eltern ☐	die Ent-	der/die Erwach-
die Familie ☐	die Frau ☐	schuldigung ☐	sene ☐
der Mann ☐	der Freund ☐	die Freundin ☐	die Geschwister ☐
der Großvater ☐	die Großmutter ☐	der Gruß ☐	die Hochzeit ☐
der/die Jugend-	der Junge ☐	das Mädchen ☐	das Kind ☐
liche ☐	die Leute ☐	der Mensch ☐	die Mutter ☐
der Vater ☐	der Opa ☐	der Partner ☐	die Partnerin ☐
die Party ☐	der Sohn ☐	die Tochter ☐	

2. Wie heißen diese Wörter in Ihrer Muttersprache?

allein _____	ledig _____
geboren _____	bekannt _____
alt _____	verheiratet _____
gestorben _____	fremd _____
arbeitslos _____	zusammen _____
herzlich _____	böse _____
beide _____	allein _____

3. Wie heißen diese Verben in Ihrer Muttersprache?

anrufen _____	danken (danke) _____
abholen _____	einladen _____
antworten _____	entschuldigen _____
arbeiten _____	sich freuen _____
aussehen _____	Wie geht es dir? _____
besuchen _____	gratulieren _____
bitten (bitte) _____	heißen _____
da sein _____	lieben _____
weg sein _____	vorstellen _____

Wortschatz „Bank", „Post", „Telefon"

(Hilfe finden Sie in der Wortliste auf Seite 39.)

1. Ergänzen Sie.

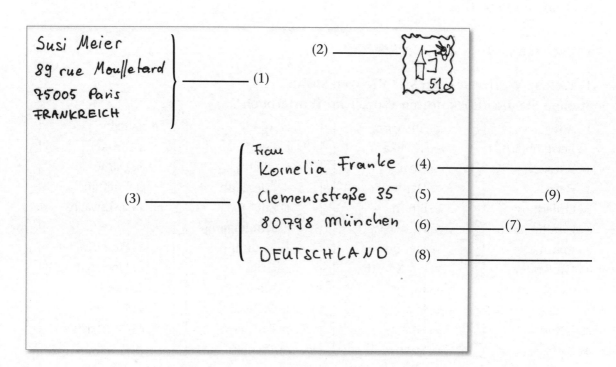

2. Was fehlt in diesem Formular? Ergänzen Sie.

Neumann	_Eva_	m ☒
....	....	Geschlecht
_15.03.1986_	_Rosenheim_	
....	(Geburtsort)	
Mühlenstraße 17	_25 709_	
Meldorf	_0485 38 744_	
	eneumann@gmx.net	
Meldorf, 12.5.2006 _Eva Neumann_		

3. In den Sätzen a–o sind drei Dialoge: „Briefmarken", „Ausweis" und „Fax".
Schreiben Sie die Dialoge. Ergänzen Sie die Buchstaben.

a Eins, zwei, drei – und wie ist die Faxnummer?
b Das macht dann € 1,92.
c Für Europa?
d Drei.
e Geben Sie mir bitte die Fotos und füllen Sie das Formular aus.
f ~~Bitte zwei Briefmarken.~~
g Eine für Deutschland, eine für Amerika.
h Haben Sie zwei Fotos?
i 085 73 44 01.
j Hier, bitte.
k Wie viele Seiten sind das?
l ~~Ich brauche einen neuen Personalausweis.~~
m ~~Ich möchte ein Fax abschicken.~~
n Ja gut, das mache ich.
o Ja, die habe ich.

Briefmarken	Ausweis	Fax
1 [f] Bitte zwei Brief-marken.	1 [l] Ich brauche einen neuen Personalausweis.	1 [m] Ich möchte ein Fax abschicken.
2 ☐ _____	2 ☐ _____	2 ☐ _____
3 ☐ _____	3 ☐ _____	3 ☐ _____
4 ☐ _____	4 ☐ _____	4 ☐ _____
5 ☐ _____	5 ☐ _____	5 ☐ _____

4. Ergänzen Sie.

A: Guten _____, ich möchte einen Deutschkurs besuchen.

B: Wie _____ lernen Sie schon _____?

A: _____ sechs Monaten.

B: Ich brauche Ihren Namen. Wie _____ Sie, bitte?

A: Ich bin Frau Vavatzanidis.

B: Und wie ist Ihr _____?

A: Ich _____ Penelope.

B: Ja danke, und Ihr _____?

A: Ich bin in Patras geboren, in Griechenland.

B: Und jetzt noch das _____?

A: 15. Mai 1986.

B: Danke schön!

5. Welches Wort passt?

a. Postleitzahl b. bar c. Schalter d. ausfüllen e. schreiben f. Handy g. überweisen h. Pass

1) Ich muss noch einen Brief an meinen Freund in Deutschland _____.

2) Sie können mich auf dem _____ anrufen.

3) Ich habe keine Kreditkarte, ich zahle _____.

4) Haben Sie einen Ausweis? – Hier ist mein _____.

5) Ich gehe zur Bank, ich will Geld _____.

6) In der Adresse fehlt die _____.

7) Briefmarken bekommen Sie am anderen _____.

8) Ich soll das Formular _____.

6. Wie heißt das Lösungswort?

1. Mobiltelefon 2. Ausweis
3. Das brauchen Sie für
einen Brief. 4. Ich zahle
_____. 5. telefonieren
6. Das muss man ausfüllen.
7. Am 12. August habe ich
_____.

Wortliste „Bank, Post, Telefon"

1. Welche Wörter kennen Sie? Kreuzen Sie an.
Suchen Sie die unbekannten Wörter im Wörterbuch.

der Absender ☐	die Adresse ☐	der Anruf-	die Auskunft ☐
der Ausweis ☐	die Bank ☐	beantworter ☐	bar ☐
der Buchstabe ☐	der Antwortbogen ☐	der Brief ☐	die Briefmarke ☐
das Datum ☐	die E-Mail ☐	der Empfänger ☐	das Fax ☐
das Formular ☐	das Foto ☐	geboren ☐	das Geburtsjahr ☐
der Geburtsort ☐	der Geburtstag ☐	das Handy ☐	die Information ☐
das Internet ☐	die Karte ☐	das Konto ☐	männlich ☐
weiblich ☐	(EC-, Kredit-) ☐	der Name ☐	der Vorname ☐
die Nummer ☐	das Papier ☐	die Papiere ☐	der Pass ☐
die Post ☐	die Postleitzahl ☐	die Polizei ☐	der Schalter ☐
die Unterschrift ☐	der Zoll ☐		

2. Wie heißen diese Wörter in Ihrer Muttersprache?

ankreuzen	_____	geöffnet	_____
anmelden	_____	schließen	_____
ausfüllen	_____	geschlossen	_____
buchstabieren	_____	telefonieren	_____
fragen	_____	überweisen	_____
öffnen	_____	unterschreiben	_____

Wortschatz „Mit dem Auto, mit dem Zug, zu Fuß"
(Hilfe finden Sie in der Wortliste auf Seite 41.)

1. Welche Wörter passen?

Zug · Flugzeug · Rad fahren · wandern · fliegen · fahren · Fahrkarte · Abfahrt · Ticket · Fahrrad · Gleis · Bahnsteig · Ausland

Bahnhof _der Zug_ _____ _____

_____ _____ _____

Flughafen _____ _____ _____

_____

Ausflug _____ _____ _____

2. Was ist richtig? Kreuzen Sie an.

1 Fahrkarten braucht man __b__ .

   a im Kino

   ☒ im Zug

   c im Geschäft

2 Von Hamburg nach Leipzig fahren Sie _____ .

   a mit der Straßenbahn

   b mit der U-Bahn

   c mit dem Zug

Modul 2: Hören

3 Der Bus hält; die Fahrgäste _____.

    a kommen mit

    b laden ein

    c steigen ein

4 Sie können zu Fuß gehen, der Goethe-platz ist _____.

    a geöffnet

    b nicht weit

    c sehr einfach

5 Auf der Autobahn darf man _____.

    a nicht Auto fahren

    b nicht schnell fahren

    c nicht halten

6 Auf dem Flughafen hören Sie _____.

    a eine Durchsage

    b eine Einladung

    c eine Antwort

3. Wie komme ich zum Dom?

Gehen Sie zuerst _____, dann _____, dann _____ und dann _____.

4. Schreiben Sie die Wörter.

1.

2.

3.

4.

5.

6.

7.

8.

1. *das Taxi* _____

2. _____

3. _____

4. _____

5. _____

6. _____

7. _____

8. _____

Wortliste „mit dem Auto, mit dem Zug, zu Fuß"

1. Welche Wörter kennen Sie? Kreuzen Sie an.

Suchen Sie die unbekannten Wörter im Wörterbuch.

der Anschluss ☐	die Abfahrt ☐	die Ankunft ☐	die Ansage ☐
der Abflug ☐	der Ausflug ☐	der Ausgang ☐	der Eingang ☐
das Ausland ☐	das Auto ☐	die Autobahn ☐	der Automat ☐
die Bahn ☐	der Bahnhof ☐	der Bahnsteig ☐	der Bus ☐
die Durchsage ☐	der Fahrer ☐	die Fahrkarte ☐	das Fahrrad ☐
der Flughafen ☐	das Flugzeug ☐	der Fuß (zu Fuß) ☐	das Gleis ☐
der Platz ☐	die Reparatur ☐	die S-Bahn ☐	das Schild ☐
die Straßenbahn ☐	das Schiff ☐	das Taxi ☐	das Ticket ☐
die U-Bahn ☐	der Zug ☐		

2. Wie heißen diese Wörter in Ihrer Muttersprache?

abfahren	_____	reparieren	_____
ankommen	_____	wandern	_____
aussteigen	_____	geradeaus	_____
einsteigen	_____	links	_____
fahren	_____	rechts	_____
fliegen	_____	weit	_____
halten	_____	zurück	_____
Rad fahren	_____		

Tipps zum Hörverstehen

1. Können Sie das schon gut? Bitte kreuzen Sie an.

	Das kann ich gut.	Das kann ich noch nicht.
Ich kann Zahlen und Preise verstehen. Zum Beispiel: „Ich möchte einen Schipullover in Größe 42." „Wie viel kostet dieser hier?" – „122,00 Euro."		
Ich kann Informationen zu Wochentag und Uhrzeit verstehen. Zum Beispiel: „Der Deutschkurs für Anfänger beginnt am Dienstag um 19.00 Uhr."		

	Das kann ich gut.	Das kann ich noch nicht.
Ich kann Informationen mit bekannten Wörtern vom Anrufbeantworter verstehen. Zum Beispiel: „Hallo, hier ist Michael. Ich hole dich am Samstagabend ab, wir fahren zusammen zu Thomas. Und du sollst bitte einen Obstsalat mitbringen, okay? Tschüss!"		
Ich kann einfache persönliche Fragen und Antworten mit bekannten Wörtern verstehen. Zum Beispiel: „Arbeiten Sie schon lange bei dieser Firma?" – „Ja, schon drei Jahre."		
Ich kann einfache Dialoge mit bekannten Wörtern verstehen. Zum Beispiel: „Guten Tag, ich komme von der Firma Meyer & Co., hat Dr. Merian jetzt gleich Zeit für mich?" – „Nein, tut mir leid, Sie müssen cirka 40 Minuten warten."		
Ich kann einfache Informationen zu Straßen und Adressen verstehen. Zum Beispiel: „Gehen Sie hier geradeaus und dann die zweite Straße rechts bis zum Bahnhof."		

Die Hörsituation

02

1. Wo hören Sie das?

A in der Schule · **B** im Café · **C** auf der Straße · **D** auf dem Fußballplatz
E auf dem Flughafen · **F** im Supermarkt · **G** in der Disko

Geräusch	1	2	3	4	5	6	7
Situation	_	_	_	_	_	_	_

2. Was glauben Sie: Was sagen die Leute?
Schreiben Sie.

Beispiel:

● Guten Tag, ich bin Michael Steiner.

■ Oh, guten Tag, Herr Steiner, mein Name
　ist Meinradt.

a. Was glauben Sie: Was sagen die Leute?

● _____

■ _____

b. Was glauben Sie: Was sagen die Leute?

● _____

■ _____

c. Was glauben Sie: Was sagen die Leute?

● _____

■ _____

d. Was glauben Sie: Was sagen die Leute?

● _____

■ _____

**3. Sie können in diesen Hörtexten nur
die „Schlüsselwörter" verstehen. Schreiben Sie wie im Beispiel.**

Lesen Sie die Fragen. Hören Sie dann den Text und konzentrieren Sie sich auf die Fragen.
Schreiben Sie dann die Schlüsselwörter.

Beispiel:

Wo sind die Personen?   In einem Geschäft.
Welche „Schlüsselwörter" hören Sie?   Fisch, Angebot, 4 Euro 10

a. Hören Sie und schreiben Sie die Schlüsselwörter.

Wo sind die Personen? _____

Schlüsselwörter: _____

b. Hören Sie und schreiben Sie die Schlüsselwörter.

Wo sind die Personen? _____

Schlüsselwörter: _____

c. Hören Sie und schreiben Sie die Schlüsselwörter.

Wo sind die Personen? _____

Schlüsselwörter: _____

d. Hören Sie und schreiben Sie die Schlüsselwörter.

Wo sind die Personen? _____

Schlüsselwörter: _____

e. Hören Sie und schreiben Sie die Schlüsselwörter.

Wo sind die Personen? _____

Schlüsselwörter: _____

Globales Hörverstehen

Beispiel:

Im folgenden Dialog können Sie nicht alle Wörter verstehen, aber Sie können die zwei Fragen beantworten.

Fragen:

1. Wo sind die Personen?

2. Was wollen sie morgen machen?

Konzentrieren Sie sich beim Hören bitte nur auf diese zwei Fragen: Wo? und Was?

Antworten:

1. Im Kaufhaus.

2. Zur Geburtstagsparty gehen

*Wissen Sie die Antworten jetzt auch? Nein? Dann hören Sie den Text noch einmal …
und noch einmal … und noch einmal …*

**a. Im folgenden Dialog können Sie nicht alle Wörter verstehen,
aber Sie können diese zwei Fragen beantworten.**

1. Wo sind die Personen?

2. Was möchte eine Person sehen?

Konzentrieren Sie sich beim Hören bitte nur auf diese zwei Fragen: Wo? und Was?

Antworten:

1. _____

2. _____

Wissen Sie die Antworten? Nein? Dann hören Sie den Text noch einmal … und noch einmal … und noch einmal …

b. Im folgenden Dialog können Sie nicht alle Wörter verstehen, aber Sie können diese zwei Fragen beantworten:

1. Wer spricht?
2. Welches Hobby haben sie?

Konzentrieren Sie sich beim Hören bitte nur auf diese zwei Fragen: Wer? und Welches Hobby?

Antworten:

1. _____

2. _____

Wissen Sie die Antworten? Nein? Dann hören Sie den Text noch einmal … und noch einmal … und noch einmal …

c. Im folgenden Dialog können Sie nicht alle Wörter verstehen, aber Sie können diese zwei Fragen beantworten:

1. Wo ist die Frau?
2. Warum fragt sie?

Konzentrieren Sie sich beim Hören bitte nur auf diese zwei Fragen: Wo? und Warum?

Antworten:

1. _____

2. _____

Wissen Sie die Antworten? Nein? Dann hören Sie den Text noch einmal … und noch einmal … und noch einmal …

Selektives Hörverstehen Teil 1

**Beispiel: Lesen Sie zuerst die Aufgabe. Sie müssen den Satz gut verstehen.
Dann hören Sie den Text und kreuzen an: Ist das Richtig oder Falsch?**

Michael soll Christine vom Bahnhof abholen.   Richtig   Fa~~l~~ch

**a. Lesen Sie zuerst die Aufgabe. Sie müssen den Satz gut verstehen.
Dann hören Sie den Text 2 und kreuzen an: Ist das Richtig oder Falsch?**

Im 1. Stock gibt es Sportschuhe.   Richtig   Falsch

*Wissen Sie die Antwort? ... Nein? Dann hören Sie den Text noch einmal; konzentrieren Sie sich
auf die Frage: Gibt es im ersten Stock Sportschuhe?*

**b. Lesen Sie zuerst die Aufgabe. Sie müssen den Satz gut verstehen.
Dann hören Sie den Text 3 und kreuzen an: Ist das Richtig oder Falsch?**

Dr. Boll ist am Montag in der Praxis.   Richtig   Falsch

*Wissen Sie die Antwort? ... Nein? Dann hören Sie den Text noch einmal; konzentrieren Sie sich
auf die Frage: Ist Dr. Boll am Montag da?*

**c. Lesen Sie zuerst die Aufgabe. Sie müssen den Satz gut verstehen.
Dann hören Sie den Text 4 und kreuzen an: Ist das Richtig oder Falsch?**

Sprachkurse gibt es nur im September.   Richtig   Falsch

*Wissen Sie die Antwort? ... Nein? Dann hören Sie den Text noch einmal; konzentrieren Sie sich
auf die Frage: Gibt es die Sprachkurse nur im September?*

**d. Lesen Sie zuerst die Aufgabe. Sie müssen den Satz gut verstehen.
Dann hören Sie den Text 5 und kreuzen an: Ist das Richtig oder Falsch?**

Alle Fluggäste sollen zum Schalter 21 gehen.   Richtig   Falsch

*Wissen Sie die Antwort? ... Nein? Dann hören Sie den Text noch einmal; konzentrieren Sie sich
auf die Frage: Sollen alle Fluggäste zum Schalter 21 gehen?*

Modul 2: Hören

Selektives Hörverstehen Teil 2

Beispiel:
In den folgenden Hörtexten sollen Sie eine ganz bestimmte Information verstehen (z. B. Ort, Adresse, Uhrzeit, Name). Lesen Sie zuerst die Frage, hören Sie dann den Text und kreuzen Sie an: Ist a, b oder c richtig?

Wohin soll Ulrike kommen?

a zum Bahnhof
☒ zum Kino
c nach Hause

Wissen Sie die Antwort jetzt auch? … Nein? Dann hören Sie den Text noch einmal; konzentrieren Sie sich auf die Frage: Wohin soll Ulrike kommen?

a. Im folgenden Hörtext sollen Sie eine ganz bestimmte Information verstehen (z. B. Ort, Adresse, Uhrzeit, Name). Lesen Sie zuerst die Frage, hören Sie dann den Text 1 und kreuzen Sie an: Ist a, b oder c richtig?

Wie ist die Telefonnummer?

a 88 435
b 84 335
c 88 835

Wissen Sie die Antwort? … Nein? Dann hören Sie den Text noch einmal; konzentrieren Sie sich auf die Frage: Wie ist die Telefonnummer?

b. Im folgenden Hörtext sollen Sie eine ganz bestimmte Information verstehen (z. B. Ort, Adresse, Uhrzeit, Name). Lesen Sie zuerst die Frage, hören Sie dann den Text 2 und kreuzen Sie an: Ist a, b oder c richtig?

Wann schließt die Bank?

a um 12.30
b um halb zwölf
c um eins

Wissen Sie die Antwort? … Nein? Dann hören Sie den Text noch einmal; konzentrieren Sie sich auf die Frage: Wann schließt die Bank?

c. Im folgenden Hörtext sollen Sie eine ganz bestimmte Information verstehen (z. B. Ort, Adresse, Uhrzeit, Name). Lesen Sie zuerst die Frage, hören Sie dann den Text 3 und kreuzen Sie an: Ist a, b oder c richtig?

Wie viel Zeit braucht man mit dem Bus?

a 90 Minuten
b eine Stunde
c 30 Minuten

Wissen Sie die Antwort? … Nein? Dann hören Sie den Text noch einmal; konzentrieren Sie sich auf die Frage: Wie viel Zeit braucht der Bus?

d. Im folgenden Hörtext sollen Sie eine ganz bestimmte Information verstehen (z. B. Ort, Adresse, Uhrzeit, Name). Lesen Sie zuerst die Frage, hören Sie dann den Text 4 und kreuzen Sie an: Ist [a], [b] oder [c] richtig?

Wo wohnt die Frau?

   [a] in Hamburg
   [b] in Pinneberg
   [c] in der Rosenstraße

Wissen Sie die Antwort? ... Nein? Dann hören Sie den Text noch einmal; konzentrieren Sie sich auf die Frage: Wo wohnt die Frau?

e. Im folgenden Hörtext sollen Sie eine ganz bestimmte Information verstehen (z. B. Ort, Adresse, Uhrzeit, Name). Lesen Sie zuerst die Frage, hören Sie dann den Text 5 und kreuzen Sie an: Ist [a], [b] oder [c] richtig?

Wann hat Veronika Geburtstag?

   [a] am Donnerstag
   [b] am Samstag
   [c] morgen

Wissen Sie die Antwort? ... Nein? Dann hören Sie den Text noch einmal; konzentrieren Sie sich auf die Frage: Wann hat sie Geburtstag?

f. Im folgenden Hörtext sollen Sie eine ganz bestimmte Information verstehen (z. B. Ort, Adresse, Uhrzeit, Name). Lesen Sie zuerst die Frage, hören Sie dann den Text 6 und kreuzen Sie an: Ist [a], [b] oder [c] richtig?

Wie viel kostet das Buch?

   [a] € 14,90
   [b] € 4,90
   [c] € 40,90

Wissen Sie die Antwort? ... Nein? Dann hören Sie den Text noch einmal; konzentrieren Sie sich auf die Frage: Wie viel kostet das Buch?

Übungen zum Hörverstehen

Hörverstehen Teil 1: kurze Alltagsgespräche

Sie hören kurze Dialoge in Alltagssituationen (z.B. Restaurant, Arbeitskollegen, Freunde, auf der Straße). Sie hören die Dialoge zweimal und müssen Multiple-Choice-Fragen beantworten.

 Hören Sie die Dialoge und kreuzen Sie an. Was ist richtig: ⓐ, ⓑ oder ⓒ?
Sie hören die Texte zweimal.

Beispiel: Wie spät ist es jetzt?

☒ halb acht 　　　ⓑ acht Uhr 　　　ⓒ achtzehn Uhr

a. Wie reist sie von Köln nach Berlin?

ⓐ mit dem Zug 　　ⓑ mit dem Auto 　　ⓒ mit dem Flugzeug

b. Was essen sie?

ⓐ Brötchen 　　　ⓑ Pommes frites 　　ⓒ Salat

c. Wann kommt der Zug an?

ⓐ um 15.32 　　　ⓑ um 15.30 　　　ⓒ um 15.13

d. Wie kommt sie zum Hotel „Frankfurter Hof"?

a mit dem Taxi b mit der Straßenbahn c zu Fuß

e. Wie alt ist Georg?

a 9 Jahre b 19 Jahre c 15 Jahre

f. Wie viel kostet das Ticket?

a € 155,00 b € 150,00 c € 150,50

g. Welche Zimmernummer hat die Dame?

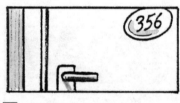 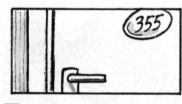 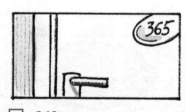

a 356 b 355 c 365

h. Wann kommt Herr Maurich zurück?

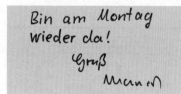 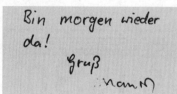 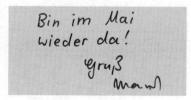

a am Montag b morgen c im Mai

Modul 2: Hören

i. Was wollen sie kaufen?

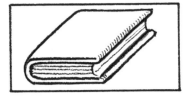
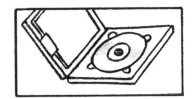

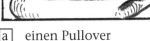

a einen Pullover   b ein Buch   c eine CD

j. Wo wohnt Frau Schmitz?

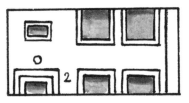

a im 1. Stock   b an der Ecke   c im 2. Stock

k. Wo kann man die Fahrkarten kaufen?

a am Schalter   b am Kiosk   c am Automaten

Hörverstehen Teil 2: öffentliche Durchsagen

Sie hören offizielle Durchsagen (z. B. Bahnhof, Kaufhaus, Flughafen). Sie hören die Durchsagen nur einmal und müssen Richtig-Falsch-Fragen beantworten.

Lesen Sie zuerst die Aufgabe. Sie müssen den Satz gut verstehen. Dann hören Sie den Text und kreuzen an: Ist die Aussage Richtig *oder* Falsch *? Sie hören den Text nur einmal!*
Kreuzen Sie die richtige Lösung an.

	Richtig	Falsch
Beispiel: Die Schüler sollen am Eingang warten.	Ri**X**tig	Falsch
a. Die Fahrgäste sollen rechts aussteigen.	Richtig	Falsch
b. Der Zug fährt von Gleis 7 ab.	Richtig	Falsch
c. Die Fluggäste fahren mit dem Bus nach Lübeck.	Richtig	Falsch
d. Katrin wartet im Restaurant.	Richtig	Falsch
e. Obst und Gemüse sind heute sehr billig.	Richtig	Falsch
f. Das Museum schließt in 20 Minuten.	Richtig	Falsch
g. Der Herr soll zum Schalter 24 kommen.	Richtig	Falsch
h. Der Zug kommt pünktlich an.	Richtig	Falsch
i. Die Frau soll aus dem Bus aussteigen.	Richtig	Falsch

34 · 35 · 36 · 37 · 38–46

Hörverstehen Teil 3: Telefonansagen

Sie hören private oder offizielle Informationen am Telefon (Anrufbeantworter).
Sie hören die Informationen zweimal und müssen Multiple-Choice-Fragen beantworten.

 Hören Sie die Texte und kreuzen Sie an. Was ist richtig: a, b oder c?
Sie hören die Texte zweimal.

Beispiel: Wie ist die neue Telefonnummer?
- [a] 34107
- [b] 43710
- [X] 34701

 e. Wann ist der Arzt in der Praxis?
- [a] am Wochenende
- [b] am Nachmittag
- [c] am Vormittag

 a. Wo treffen sich die Mädchen?
- [a] vor der Bank
- [b] vor der Post
- [c] im Buchgeschäft

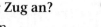 **f. Wann kommt der Zug an?**
- [a] um halb sieben
- [b] um 17.00
- [c] um sieben

 b. Was soll Karl noch einkaufen?
- [a] Wein
- [b] Gemüse
- [c] Brot

 g. Wie viel kostet das Buch?
- [a] € 50,50
- [b] € 5,50
- [c] € 15,50

 c. Wann wollen die Leute kommen?
- [a] am Donnerstag
- [b] am Samstag
- [c] morgen

 h. Die Adresse ist:
- [a] Bellinstraße 327
- [b] Berliner Platz 27
- [c] Bellinstraße 27

 d. Wann kann der Mann kommen?
- [a] am Sonntag
- [b] am Abend
- [c] am Vormittag

 i. Die Nummer ist:
- [a] 6 7 6 4 5
- [b] 6 6 7 5 4
- [c] 6 6 7 4 5

Der Test „Hören" für die Niveaustufe A1 dauert ca. 20 Minuten und hat drei Teile (Alltagsgespräche, öffentliche Durchsagen und Telefonansagen). Eine „echte Prüfung" finden Sie in Modul 5: Simulation Goethe-Zertifikat A1 / Start Deutsch 1 auf Seite 96 ff.

Modul 3: Schreiben

Übungen zum Wortschatz

Wortschatz „Freizeit, Hobby"
(Hilfe finden Sie in der Wortliste auf Seite 55.)

1. Wie heißen diese Hobbys? Schreiben Sie die Verben.

a.   b.   c.   d.   e.

f.   g.   h.   i.   j.

a. *fotografieren*   f. *Tennis spielen*
b. *kochen*   g. *Musik hören*
c. *tanzen*   h. *wandern*
d. *schwimmen*   i. *Fußball spielen*
e. *lesen*   j. *reisen*

2. Was tun diese Leute gern? Schreiben Sie Sätze.

1. Herr Meinradt *kocht gern.*   (kochen)
2. Ich *wandere gern*   (wandern)
3. Wir *gehen gern spazieren.*   (spazieren gehen)
4. Sabine und Erika *tanzen gern*   (tanzen)
5. Frau Edelmann *sieht gern fern*   (fernsehen)
6. Christian *liest gern*   (lesen)
7. Sybille *hört gern Musik*   (Musik hören)
8. Ich *fahre gern Rad*   (Rad fahren)
9. Herr Schmidt *fotografiert gern.*   (fotografieren)

= Not separable
(x Trennbare Verben).

3. Welcher Satz passt?

a	b 4	c	d 6	e 7	f	g 3
2	7 X	1	3 X	6 X	5	4 X

a. Hast du ein Hobby?	1. Die Schubert-Lieder? Wunderbar!
b. Heute Abend kommt ein sehr schöner Film im Fernsehen.	2. Ja, ich schwimme gern.
c. Ich habe Eintrittskarten für das Konzert am Sonntag.	3. Ich möchte aber nur die holländischen Bilder besichtigen.
d. Wir wollen den Dom besichtigen, kommst du mit?	4. Willst du schon wieder zu Hause bleiben?
e. Wollen wir am Sonntag einen Ausflug machen?	5. Ach, das geht, ich spiele immer im Sport-verein.
f. Tennis spielen ist aber ein ziemlich teures Hobby, oder?	6. Nein, ich habe keine Lust.
g. Die Museumsführung beginnt um halb zwei.	7. Oh ja, wir können mit dem Fahrrad fahren.

4. Was ist richtig? Kreuzen Sie an.

1 Wir wollen ___a___ nach Ägypten fahren.

- ☒ im Urlaub
- b am Wochenende
- c am Abend

2 Das Museum ist sehr groß, ich empfehle Ihnen _____. *recommend*

- a eine Einladung *invitation*
- ⓑ eine Führung
- c eine Auskunft *information*

3 Können Sie uns ein gutes Restaurant _____?

- a ausfüllen *to fill in.*
- b unterschreiben *to sign*
- ⓒ empfehlen

4 Jens ist sehr sportlich, er spielt Fussball _____.

- a im Radio
- ⓑ im Sportverein *(M)*
- c im Schwimmbad *(N)*

5 Ich möchte _____ für das Rock-konzert am Samstag.

- ⓐ eine Eintrittskarte
- b eine Fahrkarte
- c ein Ticket

6 Ich sitze nicht gern vor dem Fernseher, ich gehe _____ ins Kino.

- a schon
- ⓑ lieber
- c bald

5. Welches Wort passt?

a. Wetter b. treffen c. pünktlich d. Ausflug e. Fahrkarten
f. Bahnhof g. Fotoapparat (M).
h. See i. Hallo die Kamera

Information — Eingang

E-Mail(s) löschen Ist Werbung Antworten An alle Weiterleiten Drucken

(1)___i___ Johanna,

hier kommen noch die letzten Informationen für unseren

(2)___d___ am Samstag: Wir (3)___b___ uns um

halb acht am (4)___f___. Klaus kauft für uns alle die

(5)___e___. Du musst aber (6)___c___ sein! Und

bring bitte den (7)___g___ mit! Ich glaube, wir haben

gutes (8)___a___, dann können wir vielleicht auch im

(9)___h___ schwimmen.

Alles klar?
Sylvia

Wortliste „Freizeit, Hobby"

1. Welche Wörter kennen Sie? Kreuzen Sie an.
Suchen Sie die unbekannten Wörter im Wörterbuch.

der Ausflug	☐	— der Baum	☐	das Café	☐	der Computer	☐
der Dom	☐	das Fahrrad	☐	der Film	☐	das Foto	☐
die Freizeit	☐	der Freund	☐	die Freundin	☐	— die Führung	☐
der Fußball	☐	das Hobby	☐	der Hund	☐	das Konzert	☐
das Kino	☐	das Lied	☐	— das Museum	☐	— das Restaurant	☐
— das Schwimmbad	☐	die Sonne	☐	der Sport	☐	der Sportplatz	☐
— das Ticket	☐	der Urlaub	☐	der Verein	☐	Sports field.	

2. Wie heißen diese Verben in Ihrer Muttersprache?

anklicken — (Comput) to click on   Musik hören _____

Rad fahren _____   kochen _____

aus sein (inf). to have finished / to be out   reisen _____

schreiben _____   fotografieren _____

baden _____   schwimmen _____

spazieren _____   lesen _____

gehen _____   wandern _____

besichtigen _____   empfehlen _____

spielen _____   tanzen _____

fernsehen _____

Ich war gestern Abend (mit ihr) aus.
— I went out (with her) last night.

Wortschatz „Kleidung"

(Hilfe finden Sie in der Wortliste auf Seite 57.)

1. Wie heißt das Gegenteil?

Farbe

1. teuer	*billig*	6. dunkel	*hell* (light (pale)
2. lang	*kurz*	7. groß	*klein*
3. jung	*alt*	8. laut	*leise*
4. neu	*alt*	9. langsam	*schnell*
5. schwer	*einfach* x *leicht*		

2. Was ist richtig? Kreuzen Sie an.

1 Ich bezahle mit der ____*c*____ .

- [a] Fahrkarte
- [b] Postkarte
- [X] Kreditkarte

5 _____ Schuhe suchen Sie?

- [a] Wann
- [b] Warum
- [c] Was für

2 Wir brauchen einen neuen Herd, der alte ist _____.

- [a] langsam
- [b] kaputt
- [c] klein

6 Der Preis ist sehr günstig, das ist ein besonders gutes _____.

- [a] Angebot
- [b] Alter
- [c] Ding

3 Ich möchte Schuhe kaufen, können Sie mir ein _____ empfehlen?

- [a] Gepäck
- [b] Geschäft
- [c] Gespräch

7 Du ziehst diesen Pullover sehr oft an, ist das dein _____?

- [a] lieber Pullover
- [b] alter Pullover
- [c] Lieblingspullover

4 Der Pullover ist zu dunkel, ich möchte helle _____.

- [a] Farben
- [b] Größen
- [c] Aufgaben

8 Bitte bezahlen Sie an der _____.

- [a] Kreditkarte
- [b] Treppe
- [c] Kasse

3. Wie heißt das Lösungswort?

1. Zum Einkaufen brauchen Sie _____. 2. Es ist kalt, du musst eine _____ anziehen. 3. Pullover, Jacke, Schuhe: das ist _____. 4. Ich trage _____ Sportschuhe. 5. Ich mag diese Jacke nicht, sie ist zu _____.

4. In den Sätzen a–j sind zwei Dialoge: „Schuhe" und „Pullover".
Schreiben Sie beide Dialoge. Ergänzen Sie die Buchstaben.

- a Er ist sehr schön, aber er war sicher auch sehr teuer, oder?
- b Welche Größe haben Sie?
- ~~c Wie findest du meinen neuen Pullover?~~
- d Ich möchte Sportschuhe.
- e Wir haben Tennisschuhe im Angebot.
- f Ach, das geht, diese Pullover sind jetzt im Angebot.
- ~~g Was für Schuhe suchen Sie?~~
- h In dem kleinen Laden an der Ecke.
- i Interessant, wo denn?
- j 42, ich möchte gern eine helle Farbe.

„Schuhe"

1 g Was für Schuhe suchen Sie?
2 ☐ _____
3 ☐ _____
4 ☐ _____
5 ☐ _____

„Pullover"

1 c Wie findest du meinen neuen Pullover?
2 ☐ _____
3 ☐ _____
4 ☐ _____
5 ☐ _____

Wortliste „Kleidung"

1. Welche Wörter kennen Sie? Kreuzen Sie an.
Suchen Sie die unbekannten Wörter im Wörterbuch.

das Angebot	☐	die Farbe	☐	das Geld	☐	das Geschäft	☐
die Größe	☐	die Jacke	☐	der Pullover	☐	der Lieblings-	
der Schuh	☐	die Lieblingsschuhe	☐	die Kreditkarte	☐	pullover	☐
die Kasse	☐	die Kleidung	☐	der Laden	☐	der Preis	☐

2. Wie heißen diese Wörter in Ihrer Muttersprache?

anziehen	_____	einkaufen	_____
günstig	_____	leicht	_____
bestellen	_____	finden	_____
kaputt	_____	alt	_____
bezahlen	_____	kosten	_____
kurz	_____	schön	_____
brauchen	_____	mögen	_____
hell	_____	wunderbar	_____
		gefallen	_____

Wortschatz „Körper, Gesundheit"

(Hilfe finden Sie in der Wortliste Seite 59.)

1. Schreiben Sie die Wörter.

a.   b.   c.   d.   e.

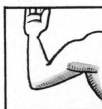 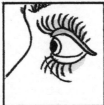   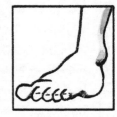

f.   g.   h.   i.   j.

   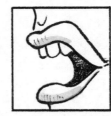 

a. der _____   f. _____
b. _____   g. _____
c. _____   h. _____
d. _____   i. _____
e. _____   j. _____

2. Was ist richtig? Kreuzen Sie an.

1 In unserem Haus ist es sehr laut, ich kann nicht gut ___ *b* ___ .
   ☐ a aufstehen
   ☒ b schlafen
   ☐ c kochen

2 Ich möchte etwas trinken, ich habe _____.
   ☐ a Durst
   ☐ b Hunger
   ☐ c Probleme

3 Es geht mir schlecht! – Was _____ dir denn?
   ☐ a geht
   ☐ b fehlt
   ☐ c tut

4 Ich muss zum Arzt gehen, wann ist _____ geöffnet?
   ☐ a der Schalter
   ☐ b der Prospekt
   ☐ c die Praxis

5 Ich kann nicht allein aufstehen, können Sie mir bitte _____?
   ☐ a kommen
   ☐ b verstehen
   ☐ c helfen

6 Du hast Fieber, ich glaube, du musst zum _____ gehen.
   ☐ a Arm
   ☐ b Arzt
   ☐ c Alter

3. Welches Wort passt?

a. Bett b. schlecht c. Kopf
d. Augen e. krank f. Liebe
g. Hunger h. Arzt i. schlafen
j. Fieber k. aufstehen

Information — Eingang

E-Mail(s) löschen   Ist Werbung   Antworten   An alle   Weiterleiten   Drucken

(1) _f_ Angelika,

es geht mir sehr, sehr (2) ____! Ich glaube, ich bin (3) ____.
Mein (4) ____, meine (5) ____, alles tut weh.
Ich habe keinen (6) ____, ich will immer nur trinken. Natürlich
kann ich auch nicht gut (7) ____. Ich glaube, ich habe (8) ____.
Ich will heute nicht (9) ____ ; ich bleibe im (10) ____ und am
Nachmittag kommt der (11) ____.
Bitte, ruf mich an!

Dein armer, kranker Ewald

---

4. Kreuzen Sie an: Richtig oder Falsch ?

Dr. med. Herrmann Schulte
Hals-Nasen-Ohren-Arzt

Sprechstunde: Mo-Do, 9.00 - 12.30
Hausbesuche nach telefonischer Vereinbarung

	Richtig	Falsch
a. Dr. Schulte ist Arzt für Augenkrankheiten.	☐	☐
b. Dr. Schulte ist am Nachmittag nicht in der Praxis.	☐	☐
c. Dr. Schulte kommt nicht zu den Leuten nach Hause.	☐	☐

Wortliste „Körper, Gesundheit"

1. Welche Wörter kennen Sie? Kreuzen Sie an.
Suchen Sie die unbekannten Wörter im Wörterbuch.

der Arm	☐	der Arzt	☐	das Auge	☐	der Bauch	☐
das Bein	☐	der Doktor	☐	der Durst	☐	der Hunger	☐
das Fieber	☐	der Fuß	☐	das Gewicht	☐	das Haar	☐
die Hand	☐	der Kopf	☐	der Mund	☐	die Nase	☐
das Ohr	☐	die Praxis	☐	das Problem	☐	der Sport	☐

2. Wie heißen diese Wörter in Ihrer Muttersprache?

aufstehen	_____	krank	_____
helfen	_____	müde	_____
schlafen	_____	schlecht	_____

Tipps zum Schreiben

Können Sie das schon gut? Kreuzen Sie an.

	Das kann ich gut.	Das kann ich noch nicht.
Ich kann ein Formular ausfüllen. Zum Beispiel: Name, Nationalität, Geburtsdatum, Alter, Passnummer.		
Ich kann einen kurzen persönlichen Brief, eine E-Mail, eine Postkarte mit bekannten Wörtern schreiben. Zum Beispiel: eine Einladung, Informationen zu einem Treffen am Wochenende.		
Ich kann kurze Informationen mit bekannten Wörtern schreiben. Zum Beispiel: Wo wir uns treffen wollen, wann ich heute Abend ankomme.		
Ich kann einfache Sätze über mich selbst und über andere Personen schreiben. Zum Beispiel: über Wohnort, Beruf, Alter, Familie, Hobby.		

Sätze bauen

1. Ergänzen Sie das Satzzeichen.

Beispiel:

Ich kann morgen um fünf Uhr zu dir kommen _._

Kann ich morgen um fünf Uhr zu dir kommen _?_

a. Hast du am Nachmittag Zeit __

b. Warum kannst du nicht den Zug um drei Uhr nehmen __

c. Michael möchte gern ins Theater gehen __

d. Soll Michael dich abholen __

e. Wir haben jetzt nicht mehr viel Zeit __

f. Wann fängt der Film an __

g. Sind Sie am Montagvormittag im Büro __

h. Unsere Wohnung ist im zweiten Stock __

i. Die Wohnung hat auch einen Balkon __

j. Am Samstagabend haben wir oft Gäste __

k. Kommt ihr auch zu Peters Geburtstagsparty __

2. Ergänzen Sie die Satzzeichen (. ? ! :).

Liebe Friederike,

wie geht es Dir (1)__ Hast Du immer noch so viele Probleme

mit Deiner Wohnung (2)__ Bei uns gibt es auch

Probleme (3)__ Georg ist seit zwei Wochen krank (4)__ Er

ist immer müde und am Abend hat er Fieber (5)__ Aber

Georg will nicht zum Arzt gehen (6)__ Vielleicht braucht

er Urlaub (7)__ Was denkst Du (8)__

Kannst Du uns am Wochenende besuchen (9)__ Dann

kannst Du mit Georg sprechen (10)__

Bitte antworte bald (11)__

Maria

3. Schreiben Sie Sätze.

1. Das Flugzeug landet pünktlich in Frankfurt.	landet · pünktlich · in Frankfurt · das Flugzeug
2.	nach Usedom · das Schiff · um 7.30 Uhr · jeden Tag · ab · fährt
3.	gibt · es · am Nachmittag · um 14.00 Uhr · im Schloss · eine Führung
4.	das Museum · leider · Sie · heute · besichtigen · können · nicht
5.	fahren · am Wochenende · ans Meer · viele Leute · zum Schwimmen
6.	morgen · mir · du · kannst · helfen · bei den Hausaufgaben · ?
7.	sind · geschlossen · viele Museen · am Montag · in München
8.	wir · können · die Großeltern · wann · besuchen · ?

4. Schreiben Sie Sätze.

heute Abend · ~~im Sommer~~ · im Urlaub · am Wochen-ende · am Vormittag · in der Nacht · um acht Uhr	~~fahren~~ · gehen · bleiben · schlafen · sein · arbeiten · fahren	bei meiner Freundin · zu Hause · ~~ans Meer~~ · nach Wien · immer im Büro · zur Arbeit · im Bett

a. Im Sommer fahren wir ans Meer.

b. _____

c. _____

d. _____

e. _____

f. _____

g. _____

5. Was macht Herr Meier heute? Schreiben Sie Sätze.

a. Um sieben Uhr steht Herr Meier auf.

b. _____

c. _____

d. _____

e. _____

f. _____

g. _____

h. _____

i. _____

Texte bauen

1. Welches Wort passt? Was ist richtig? Kreuzen Sie an: a oder b?

1	[a] Maria	[X]	Jens
2	[a] Urlaub	[b]	Bett
3	[a] Fehler	[b]	Brief
4	[a] höre	[b]	verstehe
5	[a] wann	[b]	warum
6	[a] arbeiten	[b]	übernachten
7	[a] Lust	[b]	Zeit
8	[a] besuchen	[b]	besichtigen
9	[a] antworte	[b]	telefoniere
10	[a] Grüße	[b]	Informationen
11	[a] Ihr	[b]	Dein

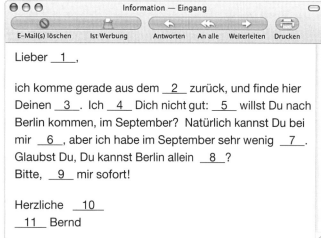

Information — Eingang

E-Mail(s) löschen   Ist Werbung   Antworten   An alle   Weiterleiten   Drucken

Lieber __1__,

ich komme gerade aus dem __2__ zurück, und finde hier
Deinen __3__. Ich __4__ Dich nicht gut: __5__ willst Du nach
Berlin kommen, im September? Natürlich kannst Du bei
mir __6__, aber ich habe im September sehr wenig __7__.
Glaubst Du, Du kannst Berlin allein __8__?
Bitte, __9__ mir sofort!

Herzliche __10__
__11__ Bernd

2. Welcher Anfang passt für welchen Brief?

Brief	A	B	C
Anfang	—	—	—

A … Natürlich komme ich gern. Ich habe nur ein kleines Problem: Mein Auto ist kaputt, ich muss also mit dem Zug kommen. Kannst du mich vom Bahnhof abholen? Mein Zug kommt …

B … Wir brauchen ein ruhiges Doppelzimmer mit Frühstück für zwei Nächte. Ankunft am Donnerstag, 3.5., am Nachmittag …

C … Ich finde Ihre Idee sehr interessant. Ich möchte Sie und die alten Freunde gern wiedersehen. Wie viele Klassenkameraden wollen kommen? Haben Sie schon Antworten? …

1 Lieber Herr Richter,
herzlichen Dank für Ihren Brief. Sie wollen ein Klassentreffen organisieren …

2 Liebe Irene,
danke für deine Einladung …

3 An Hotel Esplanade
Betrifft: Zimmerreservierung

3. Ordnen Sie den Brief.

a. Ich möchte im nächsten Jahr auch in Frankfurt studieren. Natürlich brauche ich ein Zimmer.

b. ~~Lieber Bernd,~~

c. Kannst Du mir helfen? Kann ich vielleicht ein paar Wochen bei Dir wohnen?

d. wie gefällt es Dir in Frankfurt? Kennst Du schon viele Leute an der Universität? Ist das Studium interessant?

e. Herzliche Grüße von Karlheinz

f. Bitte, antworte mir bald!

1. _b_   3. ___   5. ___

2. ___   4. ___   6. ___

4. Finden Sie zwei Briefe. Unterstreichen Sie im Text die „falschen" Sätze.

Liebe Frau Mertens,

Liebe Karin,

ich danke Ihnen sehr für Ihren freundlichen Brief. Hast Du schon Pläne für den Sommer? Ich freue mich auf das Praktikum bei Ihnen im Hotel „Königin Elisabeth". Sylvia und ich wollen nach Ungarn fahren, kommst Du mit? Sylvias Großmutter lebt in Budapest. Ich will in den sechs Praktikumswochen möglichst viel lernen und möchte deshalb gern im Hotel wohnen. Wir fahren zuerst zu ihr und wollen dann das ganze Land sehen, komm doch mit! Ich komme am Montagmorgen um 7.00 Uhr zu Ihnen ins Büro und bringe dann auch meine Papiere mit. Komm doch nächste Woche am Mittwochabend zu mir. Sylvia ist dann auch da und wir sprechen über unsere Reise.

Tschüss, deine Birgit

Mit freundlichen Grüßen

Bernd Norgen

Schreiben Sie die „falschen" Sätze.

Liebe Karin,

_____

_____

_____

_____

5. Was wollen die Absender sagen?

A Dank   B Einladung   C Bestellung   D Information

?	—	—	—	—
Text	1	2	3	4

1 Sehr geehrter Herr Weinberg,
gerne erteilen wir Ihnen die erbetenen Auskünfte über den Luftkurort Bad Bramstedt …

2 Liebe Karoline,
Du bist wirklich eine wunderbare Freundin! Es war so schön bei Dir am Wochenende …

3 Herr und Frau Cordes geben sich die Ehre, Sie zur Jubiläumsfeier einzuladen …

4 An die Firma Torberg & Co.
Betrifft: Büromöbel für …

Persönliche Daten formulieren

1. Welche Informationen sind falsch? Kreuzen Sie an.

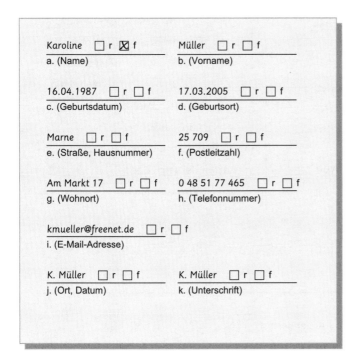

2. Formulieren Sie Fragen.

1. Wie ist Ihr Familienname?   Gentile.
2. _____?   Stefano.
3. _____?   Gartenstraße 26, Berlin Mitte.
4. _____?   338 15 60 26.
5. _____?   Aus Italien.
6. _____?   In Pescara.
7. _____?   Seit vier Monaten.
8. _____?   Ich besuche einen Deutschkurs.

Übungen zum Schreiben

Schreiben Teil 1: Formular
Beispiel:

Schreiben Sie für Ihre Schwester die fehlende Information in das Formular. *missing*

Lesen Sie zuerst den Text vor dem Formular, füllen Sie dann das Formular aus.

Ihre Schwester möchte am 12. Mai nach Berlin fliegen. Sie möchte den Flug online buchen.

www.germanfly.de	
Reiseziel:	Berlin Tempelhof
Abflugdatum:	12.05.

1. Schreiben Sie für Ihren Freund die **fünf** fehlenden Informationen in das Formular.

Lesen Sie zuerst den Text vor dem Formular, füllen Sie dann das Formular aus.

Ihr Freund möchte mit seiner Frau und seiner Tochter (10 Jahre) in Überlingen am Bodensee Urlaub machen. Termin: 14.–20.6., sechs Übernachtungen.
Er sucht ein Apartment mit Garage nicht weit vom See.

www.bodenseeinfo.com	
Reiseort:	Überlingen
Übernachtung:	☐ Hotel
	☐ Pension
	☒ Wohnung
Ankunftstermin: *Arrival date*	14.6
Abreisetermin:	20.6
Anzahl Übernachtungen:	6 Nächte
Anzahl der Personen:	3
davon Kinder:	1

2. Schreiben Sie fünf Informationen in das Formular.

Lesen Sie zuerst den Text neben dem Formular, füllen Sie dann das Formular aus.

Sie sollen für Ihre Freundin, Irene Sibulski, wohnhaft in Siegen, Hermannstraße 120, ein Paket zur Post bringen. Das Paket ist für Bernhard Meyer, 71104 Freiburg, Wintererstraße 35.

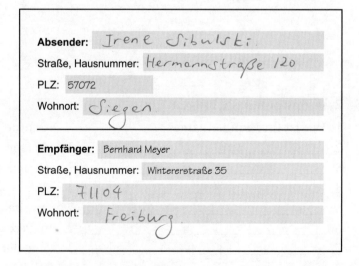

Absender:	Irene Sibulski.
Straße, Hausnummer:	Hermannstraße 120
PLZ:	57072
Wohnort:	Siegen
Empfänger:	Bernhard Meyer
Straße, Hausnummer:	Wintererstraße 35
PLZ:	71104
Wohnort:	Freiburg.

3. Schreiben Sie fünf Informationen in das Formular.

Lesen Sie zuerst den Text neben dem Formular, füllen Sie dann das Formular aus.

Ihr Freund wohnt in Berlin. Er möchte mit seiner Frau in Norddeutschland Urlaub machen, er kann aber nur im Herbst reisen. Er möchte in einem guten Hotel wohnen.

www.urlaubsboerse.de

Last-minute-Angebote:	☐ München
	☐ Amsterdam
	☐ Hamburg
Reisezeit:	☐ Oktober
	☐ Dezember
	☐ Januar
Abfahrtsort:	
Anzahl der Personen:	
Übernachtung:	☐ Vier-Sterne-Hotel
	☐ Apartment am Strand
	☐ Bed and Breakfast

4. Schreiben Sie fünf Informationen in das Formular.

Lesen Sie zuerst den Text neben dem Formular, füllen Sie dann das Formular aus.

Ihre Freundin, Karin Evangelis, möchte sich im Kulturverein anmelden. Sie wohnt in Potsdam, Kanalstraße 44. Ihr Hobby ist Musik hören, sie liebt klassische Musik.

Kultur-Verein der Stadt Potsdam
Anmeldung

Name

Vorname

Straße, Hausnummer

Wohnort

Besondere Interessen: ☐ literarische Lesungen

☐ Konzerte

☐ Ausstellungen

☐ andere :

5. Schreiben Sie die fünf fehlenden Informationen in das Formular.

Lesen Sie zuerst den Text neben dem Formular, füllen Sie dann das Formular aus.

Ihre Freundin Maria kommt aus Spanien, sie besucht seit sechs Monaten einen Deutschkurs. Sie spricht sehr gut Englisch. Maria arbeitet als Spanischlehrerin an einer Sprachenschule in Köln. Sie möchte sich bei einem online-Sprachkurs anmelden.

Schreiben Teil 2: kurze Mitteilung

Sie sollen einen kurzen Brief oder eine E-Mail schreiben, ca. 30 Wörter.
Lesen Sie zuerst die Aufgabe. Die Aufgabe hat drei Punkte, Sie sollen zu jedem Punkt ein bis zwei Sätze schreiben (ca. 30 Wörter).

Beispiel: Sie wollen Ihre Freundin, Angelika Hartmann, in Dresden besuchen. Schreiben Sie eine E-Mail:

– Ankunft: Mittwoch, 14.34 Uhr

– Fragen Sie: Wie kommen Sie zu Angelikas Wohnung?

– Erklären Sie: Ihr Handy ist kaputt.

Schreiben Sie zu jedem Punkt ein bis zwei Sätze (circa 30 Wörter).
Beispiel (45 Wörter)

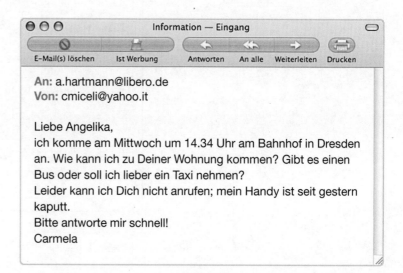

1. Schreiben Sie eine E-Mail an die Wohnungs-Agentur „Interhouse" in Weimar.

– Sie suchen ein Apartment für sechs Monate. ✓

– Sie wollen in Weimar einen Deutschkurs besuchen. ✓

– Ankunft: Anfang Mai ✓

Danke für Ihre Hilfe.
Mit freundlichen Grüßen,
Stephanie Lai.

Schreiben Sie zu jedem Punkt ein bis zwei Sätze. (6 Sätze)

Von: *Stephanie Lai*

An: infowei@interhouse.de

Wen es angeht, Sehr geehrte Damen und Herren,
Ich suche ein Apartment für sechs Monate in
Weimar. Ich möchte in einem billigen und kleinem
Apartment leben. Ich will auch in Weimar einen
Deutschkurs besuchen. Ich bin Anfängerin auf Deutsch und
ich bin etwa gut A2 Niveau. Ich komme in Weimar
am Anfang Mai an.

2. Ihre Freundin Irene will Sie im August besuchen. Schreiben Sie an Irene.

– Sie müssen im August für Ihre Firma nach Berlin fahren.

– Bitten Sie Ihre Freundin: Sie soll im September kommen.

– Sie haben am 10.9. Geburtstag.

oder
Ich komme in
Weimar im Mai an.

Schreiben Sie zu jedem Punkt ein bis zwei Sätze.

Liebe Irene, (Lieber Tom)
Leider muss ich im August für meine Firma nach Berlin
fahren. Kannst du im September kommen bitte?
Ich habe mehr Freizeit im September. Außerdem
habe ich am 10.9 Geburtstag! Du kannst mit
mir feiern!
Lass mich wissen was du denkst!
Stephanie

3. Eine Bekannte, Frau Meyer-Siebeck, hat Sie zu ihrer Geburtstagsparty am Samstag eingeladen. Schreiben Sie an Frau Meyer-Siebeck.

– Sie danken für die Einladung.

– Sie entschuldigen sich: Sie können nicht kommen.

– Was machen Sie am Wochenende?

Schreiben Sie zu jedem Punkt ein bis zwei Sätze.

Sehr geehrte Frau Meyer-Siebeck,
Danke schön für Ihre Einladung zu ihrer Geburtstagsparty
am Samstag! Leider bin ich dieses Wochenende nicht da.
und kann nicht kommen. Entschuldigung! Ich
fahre nach Berlin mit meiner Mutter am
Freitag und wir kommen am Sonntag zurück!

Vielleicht können wir uns am Montag treffen?
Mit freundlichen Grüßen
Stephanie Lai.

Modul 3: Schreiben

4. Schreiben Sie eine E-Mail an das Hotel „Kaiser Wilhelm" in Hamburg.

– Sie brauchen ein Doppelzimmer mit Halbpension.

– Sie bleiben vier Nächte, Ankunft: 05.06., 16.30 Flughafen Fuhlsbüttel.

– Das Hotelauto soll Sie am Flughafen abholen.

Schreiben Sie zu jedem Punkt ein bis zwei Sätze.

Von: _____

An: kaiserwilhelm@hamburg.mercure.org

_____

_____

_____

_____

_____

5. Sie waren im letzten Sommer in München in einem Deutschkurs. Ihr Lehrer war Herr Benradt, eine sehr sympathische Person. Schreiben Sie an Herrn Benradt.

– Stellen Sie sich kurz vor.

– Gibt es dieses Jahr wieder einen Kurs? Wann?

– Sie möchten sich für den Kurs anmelden.

Schreiben Sie zu jedem Punkt ein bis zwei Sätze.

_____

_____

_____

_____

_____

6. Sie möchten am Wochenende einen Ausflug mit dem Auto machen, zusammen mit Ihrer Freundin Sylvia. Schreiben Sie eine E-Mail an Sylvia.

– Wohin wollen Sie fahren?

– Was soll Sylvia mitbringen?

– Wo wollen Sie sich treffen?

Schreiben Sie zu jedem Punkt ein bis zwei Sätze.

Von: _____

An: smeiler@freenet.de

_____

_____

_____

_____

_____

7. Ihr Freund Michael versteht viel von Computern. Schreiben Sie eine E-Mail an Michael.

– Sie wollen einen neuen Computer kaufen.

– Bitten Sie Michael: Er soll mit Ihnen einkaufen gehen.

– Fragen Sie: Wann hat Michael Zeit?

Schreiben Sie zu jedem Punkt ein bis zwei Sätze.

Von: _____

An: mkaiser@gmt.com

_____

_____

_____

_____

_____

_____

8. Schreiben Sie an die Touristeninformation in Lübeck.

– Sie wollen im Sommer nach Lübeck fahren.

– Bitten Sie um Informationen über die Sehenswürdigkeiten.

– Sie möchten in der Jugendherberge übernachten.

Schreiben Sie zu jedem Punkt ein bis zwei Sätze.

_____

_____

_____

_____

_____

_____

Der Test „Schreiben" für die Niveaustufe A1 dauert ca. 20 Minuten und hat zwei Teile (ein Formular, eine Mitteilung). Eine „echte Prüfung" finden Sie in Modul 5: Simulation Goethe-Zertifikat A1/Start Deutsch 1 auf Seite 96.

Modul 4: Sprechen

Übungen zum Wortschatz

Wortschatz „Arbeit, Beruf, Schule"
(Hilfe finden Sie in der Wortliste auf Seite 74.)

1. Welche Wörter kennen Sie? Ergänzen Sie die Tabelle.

Büro	Schule
der Arbeitsplatz	der Computer
der Computer	

2. In den Sätzen a–j sind zwei Dialoge: „In der Schule" und „Im Büro".
Schreiben Sie beide Dialoge. Ergänzen Sie die Buchstaben.

a̅   Nein, ich bin erst seit einer Woche bei dieser Firma.

b̅   Tut mir leid, ich verstehe die Englischaufgaben auch nicht.

c̅   Dann gehen wir in der Pause zu Frau Buchard.

d̶   ~~Hallo Gerda, kannst du mir heute Nachmittag bei den Hausaufgaben helfen?~~

e̅   Mein Name ist Spitzler, Max Spitzler. Arbeiten Sie schon lange hier?

f̶   ~~Guten Tag, ich bin Alwin Guderich.~~

g̅   Ja bitte, ich habe Probleme mit dem Drucker.

h̅   Aber Mark ist doch krank.

i̅   Oh, soll ich Ihnen vielleicht ein paar Dinge erklären?

j̅   Dann fragen wir Mark, er ist gut in Englisch.

In der Schule

1 d̅ Hallo Gerda, kannst du mir heute Nach-
       mittag bei den Hausaufgaben helfen?

2 ☐ _____

3 ☐ _____

4 ☐ _____

5 ☐ _____

Im Büro

1 f̅ Guten Tag, ich bin Alwin Guderich.

2 ☐ _____

3 ☐ _____

4 ☐ _____

5 ☐ _____

3. Was ist richtig? Kreuzen Sie an.

1 Bernd kann keine Stelle finden, er ist seit
sechs Monaten ____b____ .
- [a] allein
- [X] arbeitslos
- [c] fremd

2 Ich arbeite nicht in einer Firma, ich
bin _____ .
- [a] einfach
- [b] schwer
- [c] selbstständig

3 Susanne ist Studentin; sie macht bei
der Firma „Siemag" _____ .
- [a] ein Problem
- [b] ein Praktikum
- [c] einen Beruf

4 Wie viel Geld _____ Sie im Monat?
- [a] verdienen
- [b] gewinnen
- [c] suchen

5 In diesem Text sind sehr viele _____ .
- [a] Größen
- [b] Fehler
- [c] Gewichte

6 Herr Moss bleibt zu Hause bei den Kin-
dern, er ist _____ .
- [a] Hausfrau
- [b] Hausherr
- [c] Hausmann

7 Ich muss sehr viel lernen, wir schreiben
morgen _____ .
- [a] einen Test
- [b] einen Unterricht
- [c] einen Fehler

8 Carola will Ärztin werden, sie _____
Medizin.
- [a] lernt
- [b] macht
- [c] studiert

4. Welches Wort passt?

a. Büro b. ~~Liebe~~ c. Sommer
d. kenne e. Chef f. studieren
g. Arbeitstag h. gefällt
i. Schreibtisch j. Sprachkurs
k. Drucker

```
 ● ● ●            Information — Eingang                    ⊜
   ⊘          ⊟         ⤺      ⤺      →        ⊟
 E-Mail(s) löschen  Ist Werbung  Antworten  An alle  Weiterleiten  Drucken
```

(1)____b____ Christine,

heute war mein erster (2)_____ in der neuen Firma.
Es (3)_____ mir wirklich sehr gut. Wir sind drei Leute
im (4)_____ . Auf meinem (5)_____ stehen ein
Computer, ein (6)_____ und ein Telefon. Unser
(7)_____ war heute nicht da, aber ich (8)_____
ihn schon, er ist nicht sehr interessant.
Wie sieht es bei Dir aus? Wie lange musst Du noch
(9)_____ ? Willst Du im (10)_____ mit mir nach
England fahren? Ich will einen (11)_____ besuchen.

Ganz liebe Grüße von Birgit

5. Wie heißt das Lösungswort?

1. Deutsch, Englisch, Spanisch sind _____. 2. Arbeit 3. Das gibt es im Kino. 4. Da arbeiten Sie. 5. Damit schreiben Sie. 6. Informationen finden Sie im _____. 7. Bei der Anmeldung zum Sprachkurs müssen Sie einen _____ machen. 8. Von 8.00 Uhr bis 12.00 Uhr: _____.

Wortliste „Arbeit, Beruf, Schule"

1. Welche Wörter kennen Sie? Kreuzen Sie an.
Suchen Sie die unbekannten Wörter im Wörterbuch.

die Arbeit ☐	der Arbeiter ☐	der Arbeitsplatz ☐	der Beruf ☐
der Bleistift ☐	das Büro ☐	der Chef ☐	der Computer ☐
der Drucker ☐	die E-Mail ☐	das Internet ☐	die Fabrik ☐
die Firma ☐	der Fehler ☐	der Film ☐	das Handy ☐
die Hausaufgaben ☐	die Hausfrau ☐	der Hausmann ☐	der Job ☐
der Kugelschreiber ☐	der Kurs ☐	der Plan ☐	das Praktikum ☐
das Problem ☐	der Prospekt ☐	die Schule ☐	der Lehrer ☐
die Lehrerin ☐	die Pause ☐	die Sprache ☐	der Kurs ☐
der Test ☐	der Unterricht ☐	die Stunde ☐	die Klasse ☐
die Stelle ☐	das Studium ☐	der Student ☐	die Studentin ☐

2. Wie heißen diese Wörter in Ihrer Muttersprache?

arbeiten	_____	studieren	_____
arbeitslos	_____	schnell	_____
abgeben	_____	aus sein	_____
einfach	_____	schwer	_____
abholen	_____	gewinnen	_____
eilig	_____	sofort	_____
lernen	_____	verdienen	_____
selbstständig	_____	später	_____

Wortschatz „Einkaufen"

(Hilfe finden Sie in der Wortliste auf Seite 78.)

1. Wo können Sie diese Dinge kaufen?

(Hilfe finden Sie in der Wortliste auf Seite 8 und in der Wortliste auf Seite 11.)

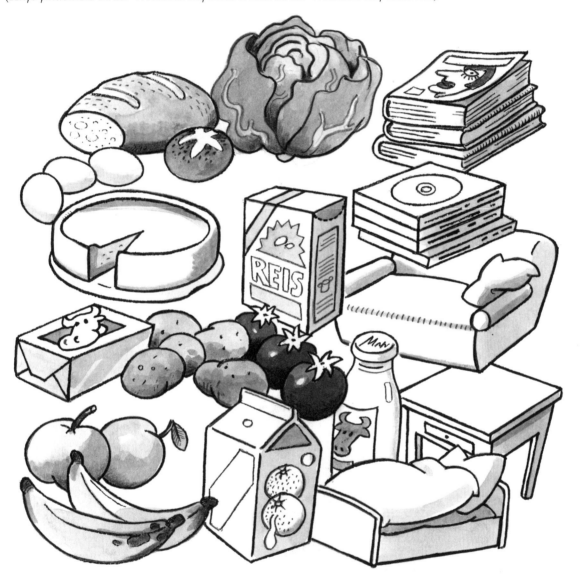

Obst- und Gemüseladen	Bäckerei	Lebensmittel-geschäft	Buchladen	Möbelgeschäft
	das Brötchen	das Brötchen		

2. Welche Antwort passt?

a	b	c	d	e	f	g	h
3	–	–	–	–	–	–	–

a. Wo kann ich das bezahlen?	1. Nein, mit Kreditkarte.
b. Ich möchte den Merian-Reise-führer für Schleswig-Holstein.	2. Hier links, bei den Getränken.
c. Ich suche ein Geschenk für meine Mutter.	3. An der Kasse 4, bitte.
d. Zahlen Sie bar?	4. Den haben wir im Moment leider nicht, aber ich kann ihn bestellen.
e. Haben Sie diese Schuhe auch in Größe 38?	5. Im 4. Stock.
f. Wo finde ich Orangensaft?	6. Ja, aber nicht in dieser Farbe.
g. Was für einen Pullover suchen Sie denn?	7. Wir haben hier ein sehr schönes Koch-buch. Wie finden Sie die Idee?
h. Wo können wir Sportkleidung finden?	8. Er soll elegant sein, aber nicht so teuer.

3. In den Sätzen a–l sind drei Dialoge: „Im Obst- und Gemüseladen", „Im Schuhgeschäft" und „In der Bäckerei". Schreiben Sie die drei Dialoge. Ergänzen Sie die Buchstaben.

a Nein, wir haben nur noch Größe 41 und 42.

b ~~Vier Brötchen, bitte.~~

c Nein, haben Sie auch noch anderes Obst?

d ~~Ich möchte zwei Kilo Birnen.~~

e ~~Die Schuhe sind zu klein. Ich brauche Größe 44.~~

f Möchten Sie noch etwas? Wir haben Kuchen im Angebot.

g Dann vielleicht in einer anderen Farbe?

h Die sind leider schon weg, wir haben aber sehr schöne Äpfel.

i Oh, der sieht ja sehr gut aus, ist der mit Sahne?

j Tut mir leid, die Größe ist nicht mehr da.

k Nein, der ist ganz leicht, nur Milch und Eier.

l Ja, möchten Sie vielleicht Bananen?

Im Obst- und Gemüseladen

1 d Ich möchte zwei Kilo Birnen.

2 ☐ _____

3 ☐ _____

4 ☐ _____

Im Schuhgeschäft

1 e Die Schuhe sind zu klein. Ich brauche Größe 44.

2 ☐ _____

3 ☐ _____

4 ☐ _____

In der Bäckerei

1 b Vier Brötchen, bitte.

2 ☐ _____

3 ☐ _____

4 ☐ _____

4. Wo sind die Leute?

a. im Restaurant b. im Supermarkt c. im Buchladen d. im Obst- und Gemüseladen

e. im Café f. in der Bäckerei g. auf der Post h. auf der Bank i. im Möbelgeschäft

1. Ich brauche fünf Briefmarken. _____

2. Ich möchte ein kleines Weißbrot. _____

3. Haben Sie italienisches Olivenöl? _____

4. Wo finde ich Kaffee und Tee? _____

5. Ich möchte Geld überweisen. _____

6. Ich will dieses Paket wegschicken. _____

7. Ich suche einen Schreibtisch. _____

8. Haben Sie einen Reiseführer für London? _____

9. Ich möchte spanische Tomaten. _____

10. Bitte eine Tasse Kaffee. _____

11. Ich nehme den Fisch mit Kartoffeln
    und Salat. _____

12. Bitte drei Kilo Kartoffeln. _____

5. Kreuzen Sie an: Richtig oder Falsch ?

Verkäuferin gesucht!

Für unser Modegeschäft im Einkaufszentrum in Langenhorn
suchen wir eine qualifizierte Teilzeit-Verkäuferin.
Sind Sie im Alter von 20 bis 25 Jahren?
Haben Sie Erfahrung mit Damen-Oberbekleidung?
Interessieren Sie sich für Damen-Mode?
Arbeiten Sie gern am Wochenende?

Dann rufen Sie uns bitte an: **06 51-77 343**

	Richtig	Falsch
a. Das ist ein Job für Frauen und Männer.	☐	☐
b. Das ist ein Job für junge Leute.	☐	☐
c. In dem Geschäft gibt es Kleidung für Frauen.	☐	☐
d. Das Geschäft ist am Samstag geschlossen.	☐	☐

6. Welches Wort passt?

a. bestellen b. Rechnung c. Schicken d. überweise e. ~~Bestellung~~ f. Drucker
g. kostet h. Adresse

```
An Compu-Service
Hannover
Fax-Nr. 031 67 532
Anzahl Seiten: 1


(1)___e___

Ich möchte aus Ihrem Katalog den Multi-Color-
Farb- (2)_____ Nummer XR205 (3)_____.
Er (4)_____ € 55,40.
(5)_____ Sie das Paket bitte an folgende
(6)_____:

Hans Meier
Blumenstraße 50
25801 Husum

Schicken Sie mir bitte auch die (7)_____, ich
(8)_____ dann das Geld auf Ihr Bankkonto.

Mit freundlichen Grüßen
Hans Meier
```

Wortliste „Einkaufen"

1. Welche Wörter kennen Sie? Kreuzen Sie an.
Suchen Sie die unbekannten Wörter im Wörterbuch.

das Angebot	☐	die Bäckerei	☐	das Buch	☐	die CD	☐
der Computer	☐	der Reiseführer	☐	das Ding	☐	das Gemüse	☐
die Lebensmittel	☐	das Geschenk	☐	der Pullover	☐	das Geschäft	☐
der Laden	☐	der Kunde	☐	die Kundin	☐	die Kreditkarte	☐
die Kasse	☐	das Geld	☐	der Preis	☐	der Verkäufer	☐
die Verkäuferin	☐	die Zeitung	☐				

2. Wie heißen diese Wörter in Ihrer Muttersprache?

anbieten	_____	zahlen	_____
bar	_____	wenig	_____
kaufen	_____	kosten	_____
günstig	_____	was für ein?	_____
einkaufen	_____	bestellen	_____
teuer	_____	wie viel?	_____

Wortschatz „Termine, Verabredungen"

(Hilfe finden Sie in der Wortliste auf Seite 81.)

1. Wann wollen sie sich treffen?

1. Um acht Uhr am Morgen.   4. _____
2. _____   5. _____
3. _____   6. _____

2. Wo wollen sie sich treffen?

1. am Auto   5. _____
2. _____   6. _____
3. _____   7. _____
4. _____

3. Was ist richtig? Kreuzen Sie an.

1 Hier ist der telefonische _____ von
Helga Krause.

    a   Antworter

    ☒   Anrufbeantworter

    c   Anfrager

2 Ich möchte dich am Samstag zum
Essen _____.

    a   fragen

    b   holen

    c   einladen

3 Ich muss noch einkaufen, wir haben
heute Abend _____.

    a   Freunde

    b   Gäste

    c   Bekannte

4 Wir _____ uns um sieben vor der Disko.

    a   treffen

    b   hören

    c   anrufen

5 Am Wochenende war _____ leider
nicht so gut.

    a   der Tag

    b   der Termin

    c   das Wetter

6 Bringst du mir bitte _____ mit?

    a   die Zeit

    b   die Uhrzeit

    c   die Zeitung

7 Herr Martens kommt sofort, _____
Sie bitte hier.

    a   warten

    b   treffen

    c   lernen

8 Ich kann nicht warten, ich habe es
sehr _____!

    a   schnell

    b   bald

    c   eilig

**4. Was ist falsch? Unterstreichen Sie den Fehler.
Schreiben Sie dann die richtige Antwort. Wie im Beispiel.**

	Falsche Antwort	Schreiben Sie richtig
a. Kommst du um sieben?	Nein, ich bin um sieben bei dir.	Ja, ich bin um sieben bei dir.
b. Hast du am Samstag Zeit für mich?	Tut mir leid, vor dem Wochen-ende muss ich arbeiten.	
c. Wollen wir morgen Nach-mittag zusammen Tennis spielen?	Ja gut, wir treffen uns um 10.30 auf dem Tennisplatz.	
d. Kommst du heute Abend mit zu Peter?	Natürlich, ich gehe gern ins Kino.	
e. Kannst du mich um halb acht abholen?	Ja gut, mein Auto ist kaputt.	
f. Wir machen am Sonntag einen Ausflug. Kommst du mit?	Ja, gern. Am Sonntag muss ich arbeiten.	
g. Rufst du mich heute Abend an?	Nein, morgen Abend bin ich im Theater.	

**5. In den Sätzen a–j sind zwei Gespräche am Telefon: „Mit der Praxis Dr. Burkhardt"
und „Mit Biggi". Schreiben Sie beide Dialoge. Ergänzen Sie die Buchstaben.**

ⓐ Was? Bist du krank? Wir gehen alle zu Christine. Komm doch mit!

ⓑ Ja, Frau Hinrichs, können Sie heute Nachmittag kommen?

ⓒ Am Vormittag ist Dr. Burkhardt nicht in der Praxis, kommen Sie bitte
   morgen um 15.30 Uhr.

ⓧ ~~Brigitte Schlüter.~~

ⓔ Ich bin Frau Hinrichs, ich möchte einen Termin bei Dr. Burkhardt.

ⓕ Ach, ich möchte zu Hause bleiben und nichts tun.

ⓖ Nein, heute geht es nicht, lieber morgen Vormittag.

ⓧ ~~Praxis Dr. Burkhardt, guten Tag.~~

ⓘ Nein, wirklich nicht, ich habe keine Lust.

ⓙ Hallo, Biggi, hier ist Kai. Was machst du heute Abend?

Mit der Praxis Dr. Burckhardt

1 ⓗ Praxis Dr. Burkhardt,
      guten Tag.

2 ☐ _____

3 ☐ _____

4 ☐ _____

5 ☐ _____

Mit Biggi

1 ⓓ Brigitte Schlüter.

2 ☐ _____

3 ☐ _____

4 ☐ _____

5 ☐ _____

Wortliste „Termine, Verabredungen"

1. Welche Wörter kennen Sie? Kreuzen Sie an.

Suchen Sie die unbekannten Wörter im Wörterbuch.

der Anrufbeantworter	☐	der Bekannte	☐	die Bekannte	☐	der Freund	☐
		die Freundin	☐	die Disko	☐	die Einladung	☐
der Eintritt	☐	die Party	☐	der Gast	☐	das Gespräch	☐
die Gruppe	☐	die Nummer	☐	der Ort	☐	die Rezeption	☐
der Schalter	☐	der Eingang	☐	die Ecke	☐	der Termin	☐
die Uhr	☐	das Wetter	☐	die Zeit	☐	die Zeitung	☐

2. Wie heißen diese Wörter in Ihrer Muttersprache?

anrufen	_____	einladen	_____
eilig	_____	bald	_____
antworten	_____	anfangen	_____
morgen	_____	sofort	_____
besuchen	_____	treffen	_____
heute	_____	immer	_____
besichtigen	_____	warten	_____
schon	_____	oft	_____

Tipps zum Sprechen

Können Sie das schon gut? Kreuzen Sie an.

	Das kann ich gut.	Das kann ich noch nicht.
Ich kann mich oder eine andere Person vorstellen. Zum Beispiel: „Guten Tag, ich heiße Adrian Wiemann."		
Ich kann mit bekannten Wörtern Fragen zur Person stellen und antworten. Themen: Name, Wohnort, Familie, Freunde, Beruf, Hobbys. Zum Beispiel: „Woher kommen Sie?" – „Ich komme aus Frankreich, ich wohne in Nancy."		
Ich kann Zahlen, Preise, Uhrzeiten verstehen und sagen. Zum Beispiel: „Wie spät ist es jetzt? Ich muss um neun im Büro sein."		
Ich kann mit bekannten Wörtern über Termine sprechen. Zum Beispiel: „Kommen Sie nächste Woche am Mittwoch um 15.00 Uhr."		
Ich kann in einem Interview mit bekannten Wörtern auf Fragen antworten. Zum Beispiel: „Wie lange lernen Sie schon Deutsch?" – „Seit zwei Monaten."		
Ich kann mit bekannten Wörtern um Informationen bitten und Informationen geben. Zum Beispiel: „Wo kann ich einen Stadtplan bekommen?" – „In der Touristeninformation."		
Ich kann mit bekannten Wörtern um etwas bitten und auf eine Bitte antworten. Zum Beispiel: „Gib mir bitte ein Glas Wasser." – „Ja, sofort."		
Ich kann meinen Namen buchstabieren. Zum Beispiel: „S – T – A – N – K – O – W – S – K – Y."		
Ich kann meine Telefonnummer oder Postleitzahl laut sagen. Zum Beispiel: „0 – 3 – 6 – 7 – 1 – 1 – 3 – 9 – 9."		

Sätze bauen

1. Wie antworten Sie? Kreuzen Sie an. Sagen Sie die Antwort laut.

	Information (1)	Ja / Nein-Antwort (2)
Beispiel:		
Woher kommen Sie?	_X_	____
Sind Sie in Italien geboren?	____	_X_
a. Wann haben Sie Geburtstag?	____	____
b. Wie alt sind Sie?	____	____
c. Bist du schon lange in Deutschland?	____	____
d. Möchten Sie etwas essen?	____	____
e. Kennst du den neuen Chef schon?	____	____
f. Wie viel kostet dieser Reiseführer?	____	____
g. Was möchtest du trinken?	____	____
h. Warten Sie schon lange?	____	____
i. Fährt dieser Bus nach Kaufingen?	____	____
j. Wo arbeiten Sie?	____	____

2. Kreuzen Sie an und antworten Sie auf die Fragen.

(Sprechen Sie die Antwort zuerst laut, dann schreiben Sie.)

Beispiel:

Wie viele Zimmer hat Ihre Wohnung? ☒ Information ☐ Ja / Nein-Antwort
Ich habe nur ein Zimmer und eine kleine Küche.

Hat Ihre Wohnung viele Zimmer? ☐ Information ☒ Ja / Nein-Antwort
Nein, sie ist sehr klein.

a. Haben Sie einen Garten? ☐ Information ☐ Ja / Nein-Antwort

_____

b. Wie groß ist Ihr Apartment? ☐ Information ☐ Ja / Nein-Antwort

_____

c. Welche Möbel stehen in Ihrem Zimmer? ☐ Information ☐ Ja / Nein-Antwort

_____

d. Frühstücken Sie oft im Garten? ☐ Information ☐ Ja / Nein-Antwort

_____

e. Wie ist Ihre Adresse? ☐ Information ☐ Ja / Nein-Antwort

_____

f. Ist Ihre Wohnung im ersten Stock? ☐ Information ☐ Ja / Nein-Antwort

_____

g. Wie lange haben Sie die Wohnung schon? ☐ Information ☐ Ja / Nein-Antwort

_____

h. Wohnen Sie allein in dem Apartment? ☐ Information ☐ Ja / Nein-Antwort

_____

Modul 4: Sprechen

3. Ergänzen Sie die Tabelle.

(Einige Wörter passen zu zwei oder drei Themen.)

Ausflug · Fahrrad · Apartment · Auto · Urlaub · Ausland · Schwimmbad · Hobby · Sport · Stelle · Pass · Geschäft · Balkon · Computer · Möbel · Hotel · Arbeitsplatz · Chef · Mittagspause · Stock · Beruf · Gemüse · Küche · Jugendherberge · Zug · Sonne · Zeitung · Garten · Pullover · Studium · Flugzeug · Kasse · Miete · Fußball · Meer · Internet · Gepäck · Zimmer · Konzert · Brot

Reisen	Wohnen	Freizeit	Arbeit	Einkaufen
das Auto	der Stock	das Auto	das Auto	

4. Formulieren Sie Fragen zu einem Thema. Benutzen Sie die Wörter.

(Sprechen Sie die Frage zuerst laut, dann schreiben Sie.)

Beispiel:

Thema: „Sprachen lernen“: Wort „Test"

Müssen Sie im Sprachkurs viele Tests schreiben?

Oder:

Wie viele Tests schreiben Sie im Monat?

Oder:

War der Test schwer?

Oder:

Schreiben Sie gern Tests?

a. Sprachen lernen:

– Lehrer   _____?

– Unterricht   _____?

– Hausaufgaben   _____?

– Kurs   _____?

– Unterrichtsstunde   _____?

– Klasse   _____?

b. Familie:

– Geschwister   _____?

– Eltern   _____?

– Geburtstag	_____	?
– Großmutter	_____	?
– Kinder	_____	?
– Wochenende	_____	?

c. Kleidung

– Farbe	_____	?
– Geschäft	_____	?
– Reise	_____	?
– Schuhe	_____	?
– Lieblingspullover	_____	?
– Party	_____	?

Texte bauen

1. Was sagt Susanna Mendoza? Ordnen Sie die Sätze.

Zeile	
1	Ich habe viele Hobbys: Ich lese gern, ich spiele Fußball, ich kann gut kochen.
2	Ich bin Argentinierin, ich komme aus Buenos Aires.
3	Seit drei Monaten wohne ich in München.
4	Mein Name ist Susanna Mendoza.
5	Meine Muttersprache ist Spanisch, aber ich spreche auch Englisch und ein bisschen Deutsch.
6	Ich bin 22 Jahre alt.
7	Ich bin Studentin, ich studiere Fremdsprachen.

a. __4__   b. _____   c. _____   d. _____   e. _____   f. _____   g. _____

2. Schreiben Sie einen Text über sich selbst.

(Sprechen Sie die Sätze zuerst laut, dann schreiben Sie.)

Diese Wörter können Sie benutzen.	
Ich heiße / mein Name ist …	
Ich bin … alt.	
Ich bin / ich komme aus …	
Ich wohne …	
Meine Muttersprache … / ich spreche …	
Ich bin … von Beruf.	
Mein Hobby ist …	

Modul 4: Sprechen

3. In diesem Text sind 10 Fehler. Unterstreichen Sie zuerst die falschen Wörter, schreiben Sie dann den Text richtig.

Ich heiße Lauren McMillan, bin <u>ich</u> Engländerin. Ich habe 20 Jahre alt. Ich wohne aus

England in London. Aber jetzt bin ich in Deutschland und besuche einen Sprechenkurs.

Ich wohne hier in einer Wohnung mit einem anderen Mädchen, sie ist auch englisch.

Ich sage natürlich Englisch, das ist meine Muttersprache. Ich studiere gut Französisch

und jetzt lerne ich noch Deutschland.

Meine Freizeit ist Sport, ich mache gern Tennis.

Korrektur:

Ich heiße Lauren McMillan, ich bin Engländerin.

_____

_____

_____

_____

_____

Bitten, Aufforderungen formulieren

1. Sind das Fragen oder Bitten? Kreuzen Sie an.

Beispiel:	Frage (1)	Bitte (2)
Kannst du mich bitte abholen?	____	_X_
Hol mich doch bitte ab!	____	_X_
Holst du mich ab?	_X_	____
a. Geben Sie mir bitte den Kugelschreiber!	____	____
b. Könnten Sie mir vielleicht helfen?	____	____
c. Können Sie mich verstehen?	____	____
d. Komm doch mit!	____	____
e. Gib mir mal das Foto!	____	____
f. Kannst du mir das bitte erklären?	____	____
g. Kannst du Tennis spielen?	____	____
h. Mach bitte die Tür zu!	____	____
i. Ist die Tür geschlossen?	____	____

2. Unterstreichen Sie den Imperativ.

Beispiel:

<u>Komm mit!</u>

<u>Kommt mit!</u>

<u>Kommen Sie bitte mit!</u>

a. Warten Sie in Raum A!

b. Geht zum Eingang des Museums und wartet dort auf mich!

c. Wir machen das so: Ruf mich auf dem Handy an und erzähl mir alles!

d. Kommen Sie sofort zum Ausgang!

e. Zuerst füllen Sie bitte das Formular aus!

f. Frag doch einfach deine Lehrerin!

g. Nehmt euren Kugelschreiber und schreibt einen kurzen Text!

h. Jetzt lies mal die Fragen!

i. Buchstabieren Sie bitte Ihren Namen!

j. Gib das Paket am Eingang ab!

3. Ergänzen Sie die Tabelle. Schreiben Sie Imperativ-Sätze.

	du	Sie
Beispiel	Komm bitte.	Kommen Sie bitte.
1		Nehmen Sie ein bisschen Kuchen.
2	Bitte, gib mir das Buch.	
3		Steigen Sie bitte ein.
4		Essen Sie kein Fleisch.
5		Lesen Sie bitte laut.
6	Zeig mir bitte das Foto.	
7	Wiederhole den Satz.	
8		Fragen Sie Ihren Lehrer.

Übungen zum Sprechen

Sprechen Teil 1: sich vorstellen

Sie sollen über sich selbst sprechen.
Sie bekommen eine Liste mit Wörtern,
Sie können diese Wörter benutzen.

Name?

Alter?

Land?

Wohnort?

Sprachen?

Beruf?

Hobby?

1. Finden Sie einen Vorstellungstext für diese Personen.

Sprechen Sie den Text zuerst, dann schreiben Sie.

Beispiel:

Ich heiße Francoise Bernier und komme aus Frankreich. Ich bin zwanzig Jahre alt und ich wohne in Toulouse. Ich bin Studentin, ich studiere Chemie. Ich muss sehr viel lernen, ich habe keine Zeit für Hobbys. Ich spreche Französisch und Englisch und ein bisschen Deutsch.

Francoise Bernier
Geboren 1985
Studiert Chemie in Toulouse
Lernt Deutsch seit 8 Monaten
Keine Hobbys

a.

_____

_____

_____

_____

_____

Lennart Christiansen
Geboren 1964
Wohnt in Aamaal, Schweden
Ingenieur
Spricht gut Englisch
Reist gern

b.

_____

_____

_____

_____

_____

Emilia Pavaretti
Hausfrau
Wohnt in Rimini, Italien
Zwei Kinder
Lernt seit zwei Jahren Deutsch
Hobbys: Lesen, Kino

Modul 4: Sprechen

c.

_____
_____
_____
_____
_____
_____

| **Min Ru-Jun** |
| **Geboren 1987** |
| **Kommt aus Nanking, China** |
| **Seit 3 Monaten in Berlin** |
| **Möchte Archäologie studieren** |
| **Spricht gut Englisch und Französisch** |
| **Reist viel, geht gern ins Theater** |

d.

_____
_____
_____
_____
_____
_____

| **Andreu Jankovich** |
| **Geboren 1980** |
| **Wohnt in Prag, Tschechien** |
| **Spricht gut Englisch und Italienisch** |
| **Mathematiklehrer** |
| **Hobbys: Computer, Internet** |

Modul 4: Sprechen

2. Buchstabieren Sie. Sprechen Sie, aber schreiben Sie nicht.
(Ihr Partner/Ihre Partnerin schreibt.)

(Hilfe finden Sie in der ABC-Tabelle)

Beispiel:

Sie heißen Jankovich, wie schreibt man das?

J – A – N – K – O – V – I – C – H

(jot – a – en – ka – o – fau – i – ze – ha)

a. Petersen	c. Meyer-Zubrowski	e. Zarbaresch
b. Gualtieri	d. Dubacek	

ABC-Tabelle

A = a	B = be	C = ze	D = de	E = e	F = ef
G = ge	H = ha	I = i	J = jot	K = ka	L = el
M = em	N = en	O = o	P = pe	Q = ku	R = er
S = es	T = te	U = u	V = fau	W = we	X = iks
Y = ypsilon	Z = zett	Ä = a Umlaut	Ö = o Umlaut	Ü = u Umlaut	- = Bindestrich

3. Diktieren Sie Nummern. Sprechen Sie, aber schreiben Sie nicht.
(Ihr Partner/Ihre Partnerin schreibt.)

Beispiel:

Sie wohnen in der Goethestraße. Wie ist Ihre Hausnummer?

192 (hundertzweiundneunzig).

Haben Sie ein Handy? Wie ist Ihre Nummer?

3 – 4 – 7 – 9 – 9 – 3 – 2 – 8

(drei – vier – sieben – neun – neun – drei – zwei – acht).

a. Wie viele Personen sind in Ihrem Deutschkurs? _____

b. Wie alt sind Sie? _____

c. Wie ist Ihre Hausnummer? _____

d. Wie ist Ihre Telefonnummer? _____

e. Wie viele Tage hat ein Jahr? _____

f. Wie viele Tage hat dieser Monat? _____

g. Wie viele Stunden arbeiten Sie pro Woche? _____

h. Wie viele Unterrichtsstunden haben Sie pro Woche? _____

i. Können Sie bitte Ihre Passnummer vorlesen? _____

j. Lesen Sie bitte diese Nummer: 98 65 333. _____

Sprechen Teil 2: Fragen formulieren mit Wortkarten / auf Fragen antworten

Auf dem Tisch liegen sechs Wortkarten zu einem Thema. Sie können die Wörter nicht sehen.
Sie nehmen eine Karte und formulieren mit dem Wort eine Frage.

Beispiel: Thema „Wohnen", Wortkarte „Garten"
Sie fragen zum Beispiel: „Haben Sie einen Garten?"
Der Partner antwortet dann auf Ihre Frage,
zum Beispiel: „Nein, ich wohne im zweiten Stock."

Garten

1. Formulieren Sie Fragen.

Sprechen Sie zuerst die Fragen laut, dann schreiben Sie.

a. Thema: Wohnen

Bilder   _____ ?
Miete   _____ ?
Straße   _____ ?
Balkon   _____ ?
Küche   _____ ?
Zimmer   _____ ?

Wohnen

b. Thema: Essen und Trinken

Fisch   _____ ?
Restaurant   _____ ?
Kartoffel   _____ ?
Obst   _____ ?
Abendessen   _____ ?
Getränk   _____ ?

Essen und Trinken

c. Thema: Freunde

Wochenende   _____ ?
Ausflug   _____ ?
Restaurant   _____ ?
Geburtstag   _____ ?
Reise   _____ ?
Sprachkurs   _____ ?

Freunde

Modul 4: Sprechen

d. Thema: Tagesablauf

Mittagspause	_____ ?
Fernsehen	_____ ?
Sprachkurs	_____ ?
Frühstück	_____ ?
Abend	_____ ?
Bett	_____ ?

Tages-ablauf

e. Thema: Urlaub

Hotel	_____ ?
Meer	_____ ?
Auto	_____ ?
Reisebüro	_____ ?
Flugzeug	_____ ?
Ausland	_____ ?

Urlaub

f. Thema: Verkehr

Urlaub	_____ ?
Fahrrad	_____ ?
U-Bahn	_____ ?
Arbeit	_____ ?
Zug	_____ ?
Fahrkarte	_____ ?

Verkehr

2. Finden Sie Antworten auf Ihre Fragen.

Sprechen Sie zuerst die Antworten laut, dann schreiben Sie.

a. Thema: Wohnen

_____

_____

_____

b. Thema: Essen und Trinken

_____

_____

_____

c. Thema: Freunde

_____

_____

_____

d. Thema: Tagesablauf

_____

_____

_____

e. Thema: Urlaub

_____

_____

_____

f. Thema: Verkehr

_____

_____

_____

Sprechen Teil 3: Bitten formulieren mit Bildkarten / auf Bitten antworten

Auf dem Tisch liegen sechs Bildkarten. Sie können die Bilder nicht sehen. Sie nehmen eine Karte und formulieren eine Bitte. Ihr Partner antwortet auf Ihre Bitte.

1. Formulieren Sie Bitten.

Sprechen Sie zuerst die Sätze laut, dann schreiben Sie.

Beispiel:

Bitte:
Könnten Sie bitte die Tür schließen?
Oder:
Machen Sie bitte die Tür zu!

Antwort:
Ja, gern.

Bitte:

_____

_____

Antwort:

_____

_____

Bitte: Antwort:

_____   _____

_____   _____

Bitte: Antwort:

_____   _____

_____   _____

Bitte: Antwort:

_____   _____

_____   _____

Bitte: Antwort:

_____   _____

_____   _____

Bitte: Antwort:

_____   _____

_____   _____

Bitte:

_____

_____

Antwort:

_____

_____

Bitte:

_____

_____

Antwort:

_____

_____

Bitte:

_____

_____

Antwort:

_____

_____

Bitte:

_____

_____

Antwort:

_____

_____

Bitte:

_____

_____

Antwort:

_____

_____

_Der Test „Sprechen" für die Niveaustufe A1 dauert ca. 15 Minuten und
hat drei Teile (sich vorstellen, Informationen erfragen und geben, Bitten
formulieren und auf Bitten antworten). Eine „echte Prüfung" finden Sie in
Modul 5: Simulation_ Goethe-Zertifikat A1 / Start Deutsch 1 _auf Seite 96._

Modul 5:
Simulation Goethe-Zertifikat A1 /
Start Deutsch 1
Übungssatz

> **!** *Lesen Sie zuerst immer die Frage.*

Hören

circa 20 Minuten

Dieser Test hat drei Teile. Sie hören kurze Gespräche und Ansagen.
Zu jedem Text gibt es eine Aufgabe. Lesen Sie zuerst die Aufgabe,
hören Sie dann den Text dazu.
Kreuzen Sie die richtige Lösung an.
Schreiben Sie zum Schluss Ihre Lösungen auf den Antwortbogen auf Seite 111.

Hören Teil 1

Kreuzen Sie an: a, b oder c? Sie hören jeden Text zweimal.

> **!** *Hören Sie den Text 2x – dann kreuzen Sie an.*

 Beispiel: Wo kommt der Zug an?

a Gleis 6   b Gleis 7   ☒ Gleis 17

> **!** *Sie sind nicht sicher? – Auch dann kreuzen Sie bitte eine Antwort an.*

 1.Wie viel kosten die Schuhe?

a 98,00 €   b 98,50 €   c 89,50 €

2. Wie kommt die Frau zum Bahnhof?

a Mit dem Bus

b Mit dem Taxi

c Zu Fuß

 3. Wann kommt Frau Dr. Beile?

a Um 10.00 Uhr.

b Um 11.00 Uhr.

c Um 10.30 Uhr.

 4. Wo wohnt Herr Paulsen?

a In der Wieland-
straße

b An der Ecke

c In der Iffland-
straße

 5. Wann geht die Frau ins Museum?

Die – Do 9 00 – 12 00 Mo + Die 15 00 – 17 00 Uhr

Die – Do 9 00 – 12 00 Mi + Do 15 00 – 17 00 Uhr

Die – Do 9 00 – 12 00 Mi + Fr 15 00 – 17 00 Uhr

a Am Dienstag-
nachmittag

b Am Mittwoch-
nachmittag

c Am Freitag-
nachmittag

Modul 5: Simulation

6. Wie fährt die Frau nach Koblenz?

a Mit dem Zug   b Mit dem Bus   c Mit dem Schiff

Hören Teil 2

Kreuzen Sie die richtige Lösung an.
Sie hören den Text einmal.

> ! Hören Sie den Text 1 x und
>   kreuzen Sie sofort an.

 Beispiel:
Der Mann soll zum Schalter 7 kommen. | Richtig | | Fa~~X~~ch |

 7. Die Fahrgäste haben 30 Minuten Zeit. | Richtig | | Falsch |

8. Die Fahrgäste sollen rechts aussteigen. | Richtig | | Falsch |

9. Heute ist Kinderkleidung billig. | Richtig | | Falsch |

10. Die Mutter soll ihren Sohn abholen. | Richtig | | Falsch |

Hören Teil 3

Kreuzen Sie an: a, b oder c? Sie hören jeden
Text zweimal.

> ! Hören Sie den Text 2 x –
>   dann kreuzen Sie an.

 11. Wo treffen sich die Mädchen?
  a Im Geschäft
  b In der Hauptstraße
  c Am Kiosk

13. Wie ist die Adresse?
  a Tirolerstraße 278
  b Thälmannplatz 207
  c Tirolerstraße 207

 12. Wann kann Herr Müller das
Auto abholen?
  a Heute Abend
  b Morgen Vormittag
  c Morgen Nachmittag

14. Wann fährt der Zug ab?
  a Um 12.30
  b Um 21.45
  c Um 8.30

15. Wie ist die Telefonnummer?

- [a] 55 891
- [b] 455 81
- [c] 455 891

> ❗ *Übertragen Sie Ihre Lösungen langsam auf den Antwortbogen!! Machen Sie keine Fehler.*

Ende des Tests Hören.
Schreiben Sie jetzt Ihre Lösungen 1–15 auf den Antwortbogen Seite 111.
Für jede richtige Lösung bekommen Sie einen Punkt.

Lesen
Schreiben

circa 45 Minuten

Lesen

circa 25 Minuten
Dieser Test hat drei Teile. Sie lesen kurze Briefe, Anzeigen etc.
Zu jedem Text gibt es Aufgaben. Kreuzen Sie die richtige Lösung an.

Schreiben

circa 20 Minuten
Dieser Text hat zwei Teile. Sie füllen ein Formular aus und schreiben eine kurze Mitteilung.
Schreiben Sie zum Schluss Ihre Lösungen auf den Antwortbogen auf Seite 111.
Wörterbücher sind nicht erlaubt.

Lesen Teil 1

> ❗ *Lesen Sie zuerst den Text, dann lesen Sie die Aufgabe. Dann suchen Sie die Lösung im Text.*

Sind die Sätze 1–5 [Richtig] oder [Falsch]?
Kreuzen Sie an.

Beispiel:
Michael will am Sonntag nach
Frankfurt fahren.

    [Ri❌tig]   [Falsch]

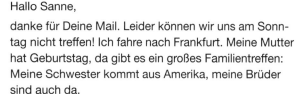

Information — Eingang

E-Mail(s) löschen · Ist Werbung · Antworten · An alle · Weiterleiten · Drucken

Hallo Sanne,

danke für Deine Mail. Leider können wir uns am Sonntag nicht treffen! Ich fahre nach Frankfurt. Meine Mutter hat Geburtstag, da gibt es ein großes Familientreffen: Meine Schwester kommt aus Amerika, meine Brüder sind auch da.
Ich fahre am Montagmorgen zurück. Vielleicht können wir in der nächsten Woche einmal zusammen essen?
Rufst Du mich an?

Tschüss, Michael

1. Michael trifft am Wochenende seine Geschwister.   [Richtig]   [Falsch]

2. Michael will Sanne in der nächsten Woche anrufen.   [Richtig]   [Falsch]

Modul 5: Simulation

Rostock, 7. April

Liebe Angelika,
wie gefällt es Dir in Leipzig? Hast Du viele Freunde? Ich möchte Dich
im nächsten Monat besuchen, wie findest Du das? Kann ich bei Dir
wohnen — ich bleibe nur drei oder vier Tage!? Du gehst am Morgen in
die Universität und ich besichtige die Museen. Ich war noch nie in
Leipzig!
Am Abend kann ich etwas kochen oder wir holen uns eine Pizza. Wir
können dann zusammen ins Theater und in die Diskothek gehen.
Das ist ein wunderbares Programm, oder?
Bitte, antworte mir sofort!
Liebe Grüße von Anke

3. Anke möchte im Mai nach Leipzig fahren. | Richtig | Falsch |

4. Sie will in Leipzig studieren. | Richtig | Falsch |

5. Anke kennt die Stadt schon ein bisschen. | Richtig | Falsch |

> **!** *Sie sind nicht sicher? – Auch dann kreuzen Sie bitte eine Antwort an.*

Lesen Teil 2

Lesen Sie die Texte und die Aufgaben 6–10. Welche Adresse passt?
Kreuzen Sie an: ⓐ oder ⓑ?

Beispiel:
Sie suchen einen deutschen Brieffreund. Er soll in Süddeutschland wohnen.

A
Hallo, hier ist Jens. Ich suche Brieffreunde und -freun- dinnen, wer schreibt mir auf Deutsch oder Englisch? Ich bin 17 Jahre alt und wohne in Bayern. jens3@t-online.de

B
Brieffreundin gesucht! Ich heiße Georg, bin 18, suche eine Brief- freundin in Italien. Ich kann schon ein biss- chen Italienisch. g.hansen@libero.de

> **!** *Lesen Sie zuerst die Aufgabe. Sie müssen die Situation gut verstehen.*

Modul 5: Simulation

6. Sie möchten wissen: Wo scheint heute in Deutschland die Sonne?

A www.sonnenwelt.de

Sonnenparadiese in Deutschland:

> Solarium
> Wellness
> Fitness

B www.wid.de

Das Wetter in Deutschland:

> Norddeutschland
> Süddeutschland
> Temperaturen

a www.sonnenwelt.de   b www.wid.de

7. Sie wollen im Internet deutsche Bücher kaufen.

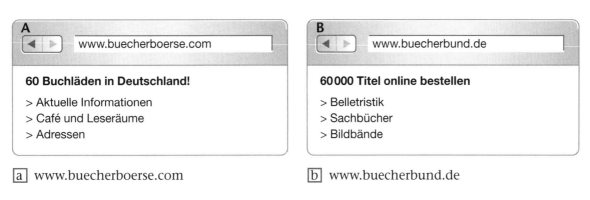

A www.buecherboerse.com

60 Buchläden in Deutschland!

> Aktuelle Informationen
> Café und Leseräume
> Adressen

B www.buecherbund.de

60 000 Titel online bestellen

> Belletristik
> Sachbücher
> Bildbände

a www.buecherboerse.com   b www.buecherbund.de

8. Sie suchen ein kleines Apartment in Hamburg.

A www.immobilien.20.de

> Haus kaufen
> Haus mieten
> Wohnung kaufen
> Wohnung mieten
> Angebot der Woche

B www.schoenerwohnen.de

> Wohnen im Hamburger Hafen
> Wie lebt man auf 40 qm?
> Wohnen wie im Süden
> Pflanzen für die Dachterrasse

a www.immobilien.20.de   b www.schoenerwohnen.de

9. Sie suchen ein günstiges Restaurant für die Geburtstagsparty Ihrer Tochter.

A	B
Schiffer's Gasthof am See Gute bürgerliche Küche im Gartenrestaurant Besonders zu empfehlen: Frischer Seefisch! Kinder-Spielplatz neben dem Haus Für Gruppen bitte reservieren! Tel: 089 77 345	**Mac Duffel macht's möglich!** Am Montag- und Donnerstagnachmittag ist bei uns Platz für die Kleinen. Pommes frites und Luftballons, Würstchen und Clowns Melden Sie sich an und erklären Sie uns Ihre Wünsche Für große Gruppen (ab 25) besonderer Preisnachlass! Tel: 089 645388 – www.macduf.com

a Schiffer's Gasthof   b Mac Duffel

10. Sie suchen ein Hotel in Erfurt. Sie wollen am Abend im Hotel essen.

a www.hotel.meiring.de   b www.jollyhotel.erfurt.de

Lesen Teil 3

Lesen Sie die Texte und die Aufgaben 11–15.
Kreuzen Sie an: Richtig oder Falsch ?

Beispiel: In der Universität

Es gibt heute keinen Unterricht bei Frau Prof.
Schnieding.

Ritig   Falsch

Das Seminar von Frau
Prof. Ursula Schnieding
findet heute nicht statt.
Weitere Informationen
im Sekretariat.

11. Eingang Restaurant

Eintritt und Essen kosten heute fünf Euro.

Richtig   Falsch

Heinos Kneipe an der Ecke

Heute Abend Life-Musik und Tanz!

Die „Vier Bandeleros" spielen und
singen für Sie.

Eintritt und ein Getränk € 5,00
Abendessen ab € 8,50
Tischreservierung Tel: 0721 33 549

12. An der Straßenbahn-Haltestelle

Im August können Sie die Linie 18 in der
Schillerstraße nehmen.

Richtig   Falsch

Vom 1.7. – 30.8. ist diese Haltestelle
wegen Reparaturarbeiten verlegt.
Abfahrt Linie 18 Haltestelle Schillerstraße.

Modul 5: Simulation

13. In der Sprachschule

Sie können an jedem Nachmittag mit der
Sekretärin sprechen.

| Richtig | | Falsch |

Öffnungszeiten Sekretariat:

Mo – Do 10.00 – 13.00
Mi und Fr 17.00 – 19.00

Informationen: www.eurolanguage.com

14. Im Buchladen

Hier kann man Schulbücher billiger kaufen.

| Richtig | | Falsch |

Tauschmarkt für Schulbücher!
Bringt uns eure alten Schulbücher,
ihr findet hier die Bücher für das nächste
Schuljahr!
Außerdem: Stifte, Kugelschreiber, Hefte ...
Alles zum halben Preis!

15. An der Theaterkasse

Sie wollen mit Ihrer Freundin ins Theater
gehen, aber Sie wollen zusammen sitzen.
Heute Abend geht es nicht.

| Richtig | | Falsch |

Die letzten Eintrittskarten für heute Abend:
Parkett Reihe 7 Platz 2
Parkett Reihe 15 Platz 3, 24
2. Rang Reihe 3 Platz 8

Ende des Tests Lesen.
Schreiben Sie jetzt Ihre Lösungen 1–15 auf den Antwortbogen auf Seite 111.

Kontrollieren Sie Ihre Lösungen im Anhang auf Seite 126.
Für jede richtige Lösung bekommen Sie einen Punkt.

Schreiben Teil 1

Ihr Freund Paolo Pellizzari aus Turin möchte mit seiner
Familie (Ehefrau, drei Kinder, 2–7 Jahre alt) an der
Ostsee Urlaub machen. Paolo hat drei Wochen Urlaub,
vom 25.6. bis zum 15.7. Er sucht eine ruhige Wohnung
am Meer, zwei Schlafzimmer, Wohnraum mit Küche, Bad.
Paolo will mit dem Auto nach Deutschland kommen.
Schreiben Sie für Ihren Freund die fünf fehlenden Informationen in das Formular.
Am Ende übertragen Sie bitte Ihre Lösungen auf den Antwortbogen auf Seite 111.

> **!** *Lesen Sie zweimal! –*
> **•** *Dann schreiben Sie!*

---

www.ostsee-apartments.de

Ferienwohnungen in
Travemünde und Umgebung

Füllen Sie das Formular bitte sorgfältig aus.

Familienname:	Pellizzari	
Vorname:	Paolo	
Anzahl der Personen:		(1)
davon Kinder:		(2)
Alter der Kinder:	2–7	
Wie viele Schlafzimmer?	2	
Brauchen Sie eine Küche?		(3)
Anreise:	25. Juni	
Abreise:		(4)
Wie reisen Sie an?	☐ Flugzeug	(5)
	☐ Zug	
	☐ Auto	

Schreiben Sie jetzt Ihre Lösungen 1–5 auf den Antwortbogen auf Seite 111.

Schreiben Teil 2

Ihr Freund Christian Schmitz will Sie nächste Woche besuchen.
Schreiben Sie:

> – Sie können Ihren Freund nicht vom Bahnhof abholen.
> – Wie kommt Ihr Freund zu Ihrer Wohnung?
> – Ihre Frau (Freundin) ist zu Hause.

Schreiben Sie zu jedem Punkt ein bis zwei Sätze auf den Antwortbogen auf Seite 111.

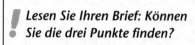

> ❗ *Lesen Sie Ihren Brief: Können Sie die drei Punkte finden?*

Ende des Tests Schreiben.
Kontrollieren Sie Ihre Lösungen 1–5 (Schreiben Teil 1) im Anhang auf Seite 126.

Für jede richtige Lösung bekommen Sie einen Punkt.
Für den Brief (Schreiben Teil 2) können Sie maximal 10 Punkte bekommen.

Sprechen

circa 15 Minuten
Dieser Test hat drei Teile.
Sprechen Sie bitte in der Gruppe (maximal 4 Kandidaten).

Sprechen Teil 1

Sich vorstellen
Der Prüfer sagt seinen Namen und auch den Namen des Kollegen.
Dann sollen die Kandidaten sich vorstellen.
Auf dem Tisch liegt ein Blatt mit einigen Wörtern, Sie können diese Wörter benutzen.
Sie sollen 4–5 Sätze sagen.

> ❗ *Bitte sprechen Sie langsam.*

Nach der Vorstellung stellt der Prüfer noch zwei Fragen. Sie sollen auf die Fragen antworten.

1. Können Sie bitte Ihren Wohnort buchstabieren?

2. Ich habe hier Ihre Prüfungsnummer. Können Sie die bitte laut lesen? (7786321)

Name?

Alter?

Land?

Wohnort?

Sprachen?

Beruf?

Hobby?

Sprechen Teil 2

Um Informationen bitten und Informationen geben.

Auf dem Tisch liegen sechs Wortkarten zu einem Thema. Sie können die Wörter nicht sehen. Jeder Kandidat nimmt eine Karte. Kandidat A fragt Kandidat B, Kandidat B antwortet und fragt dann Kandidat C usw. Zuletzt fragt Kandidat D Kandidat A und Kandidat A antwortet. Dann gibt es wieder sechs Wortkarten zu einem anderen Thema.

> **!** **Sie kennen das Wort nicht? – Fragen Sie den Prüfer!**
> **Sagen Sie: „Ich kenne das Wort nicht. Was bedeutet das?"**

Thema: Freizeit	Thema: Freizeit
Wochen-ende	**Feier-abend**
Thema: Freizeit	Thema: Freizeit
Hobby	**Freunde**
Thema: Freizeit	Thema: Freizeit
Sport	**Fernsehen**

> **!** **Sie verstehen die Frage nicht? – Fragen Sie Ihren Partner! Sagen Sie: „Bitte, wiederholen Sie."**

Modul 5: Simulation

Thema: Arbeit	Thema: Arbeit
Beruf	**Arbeits-platz**
Thema: Arbeit	Thema: Arbeit
Pause	**Firma**
Thema: Arbeit	Thema: Arbeit
Computer	**Urlaub**

Sprechen Teil 3
Bitten formulieren und darauf reagieren.

Auf dem Tisch liegen 12 Bildkarten. Sie können die Bilder nicht sehen. Jeder Kandidat nimmt zwei Karten. Kandidat A formuliert eine Bitte für Kandidat B, Kandidat B reagiert auf die Bitte und formuliert dann eine Bitte für Kandidat C usw.

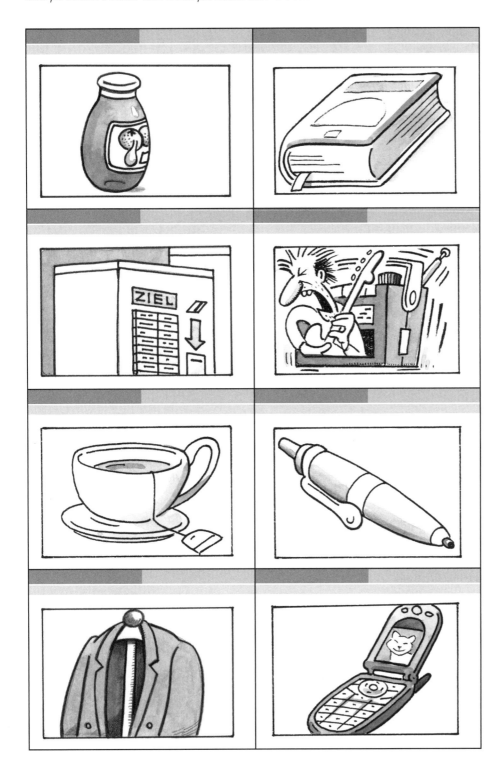

> **!** *Sie kennen das Wort nicht? –*
> *Fragen Sie den Prüfer! Sagen*
> *Sie: „Wie heißt das auf Deutsch?"*

Ende des Tests Sprechen.

Für den Teil 1 (Vorstellung) können Sie maximal 3 Punkte bekommen.
Für den Teil 2 (Fragen und Antworten mit Wortkarten) können Sie maximal 6 Punkte bekommen.
(Für jede Frage gibt es max. 2 Punkte, für jede Antwort max. 1 Punkt.)
Für den Teil 3 (Bitten und Antworten mit Bildkarten) können Sie maximal 6 Punkte bekommen.
(Für jede Bitte gibt es max. 2 Punkte, für jede Antwort max. 1 Punkt.)

Ende der Prüfung Goethe-Zertifikat A1 / Start Deutsch 1.
Zählen Sie die Punkte der ganzen Prüfung zusammen und multiplizieren Sie mit 1,66
(z. B. 60 x 1,66 = 100).

90–100 = *sehr gut*
80–89 = *gut*
70–79 = *befriedigend*
60–69 = *ausreichend*
 0–59 = *nicht bestanden*

Antwortbogen

Familienname _____ Übungssatz
Vorname _____

Hören

Teil 1				Teil 2			Teil 3			
1	a	b	c	7	Richtig	Falsch	11	a	b	c
2	a	b	c	8	Richtig	Falsch	12	a	b	c
3	a	b	c	9	Richtig	Falsch	13	a	b	c
4	a	b	c	10	Richtig	Falsch	14	a	b	c
5	a	b	c				15	a	b	c
6	a	b	c							

Lesen

Teil 1			Teil 2			Teil 3		
1	Richtig	Falsch	6	a	b	11	Richtig	Falsch
2	Richtig	Falsch	7	a	b	12	Richtig	Falsch
3	Richtig	Falsch	8	a	b	13	Richtig	Falsch
4	Richtig	Falsch	9	a	b	14	Richtig	Falsch
5	Richtig	Falsch	10	a	b	15	Richtig	Falsch

Schreiben

Teil 1

1 _____
2 _____
3 _____
4 _____
5 _____

Schreiben, Teil 2

Schreiben Sie hier Ihren Text (ca. 30 Wörter).

Anhang

Transkription der Hörtexte

Die Hörsituation

 1. Geräusche: Café – Disko – Supermarkt – Schule – Straße – Fußballplatz – Flughafen

 3. Beispiel: Ja, selbstverständlich haben wir nur frische Fische, besonders der Nordseefisch ist heute ausgezeichnet, der Heilbutt ist im Angebot, das Kilo nur 4 Euro 10. Oder wenn Sie vielleicht Krabben wünschen, die kommen immer freitags …

 a. Also, dann wiederhole ich noch einmal: Sie wünschen ein Doppelzimmer mit Bad für zwei Nächte. Frühstück gibt es bei uns von sieben Uhr dreißig bis …

 b. Dies ist also Ihr Arbeitsplatz, das hier ist Ihr Computer, Sie bekommen auch noch ein Telefon, das soll morgen gelegt werden. Ich hoffe, dass das alles möglichst schnell klappt. Ich möchte Ihnen noch den Kollegen Hans Berger vorstellen, er arbeitet …

 c. Ich möchte eine Salatplatte mit möglichst viel Tomaten und Radieschen und bitte auch ausreichend Brot dazu, und für meine Tochter nur etwas zu trinken …

 d. Der Regionalzug aus Göttingen kommt heute mit 20 Minuten Verspätung an. Einfahrt auf Gleis 7, anstatt auf Gleis 6. Ich wiederhole: Der verspätete Regionalzug aus Göttingen hat Einfahrt auf Gleis 7.

 e. Ich brauche Größe 39. Ich finde diese Schuhe eigentlich sehr schön, aber ich glaube, sie sind ein bisschen zu eng. Können Sie mir vielleicht noch etwas Anderes zeigen? Ich suche elegante Schuhe für …

Globales Hörverstehen

 Beispiel: *Elisa:* Was meinst du, würde ihr die Bluse da gefallen? Dieses Rosa ist doch eigentlich sehr schön, findest du nicht?
Birgit: Oh nein, die ist doch widerlich! So was mag Luisa nicht! Warum schenken wir ihr nicht ein gutes Buch zum Geburtstag?

Elisa: Das haben wir doch schon letztes Jahr gemacht, das geht nicht noch einmal. Außerdem wird Luisa morgen dreißig und sie macht eine Riesen-Geburtstagsparty, da müssen wir ihr etwas Besonderes schenken … aber was denn nur, sie hat ja alles!
Birgit: Sollen wir ihr vielleicht eine Jacke schenken? Guck mal, die da!
Elisa: Nein, die ist viel zu teuer – aber vielleicht der Pullover da, das ist doch was für Luisa!
Birgit: Ja, der gefällt ihr bestimmt! Wann fängt die Geburtstagsparty eigentlich an?
Elisa: Um acht, holst du mich ab?

 a. *Fahrgast:* Schnarch, schlurf, krrh, puhhh …
Schaffner: Die Fahrkarten bitte!
Fahrgast: Schnarch, schlurf …
Schaffner: Entschuldigung, darf ich bitte die Fahrkarte sehen?
Fahrgast: Was? Wie bitte? – Ach so, die Fahrkarte, wo hab ich sie denn? Ja, also hier bitte. Meine Fahrkarte geht nur bis Mannheim, aber ich will nach Düsseldorf.
Schaffner: Dann müssen Sie nachlösen, das macht € 37,80.
Fahrgast: Ja gut, wann kommen wir denn in Düsseldorf an?
Schaffner: Um 17.32 Uhr sind wir am Hauptbahnhof Düsseldorf.

 b. *Junge 1:* Na toll, da haben wir ja wieder jede Menge Hausaufgaben und ich dachte, wir könnten heute Nachmittag noch trainieren.
Junge 2: Das müssen wir auf jeden Fall! Was meinst du, können wir um fünf auf dem Fußballplatz sein?
Junge 1: Sag mal, spinnst du? Wie soll ich das denn schaffen: zwei Seiten Mathematikaufgaben und dann noch Fußball spielen?
Junge 2: Na ja, entweder ist dir das Fußballtraining wichtig oder nicht! Da muss man mal Prioritäten setzen. Willst du mit zu mir nach Hause kommen? Dann essen wir erst was, dann machen wir zusammen Mathe und um fünf gehen wir zum Sportplatz.
Junge 1: Ja gut, ich muss aber noch meine Mutter anrufen …

 c. *Frau:* Muss ich mich hier anstellen?
Mann: Das weiß ich nicht, hier sind die Überweisungen und Einzahlungen und so was.
Frau: Nein, ich will etwas abholen, einen Brief.
Mann: Das ist nicht hier, dies hier ist die Postbank, Sie müssen zu einem anderen Schalter.

Ich glaube, das ist in Halle 2. Fragen Sie doch mal am Schalter.

Frau: Ich will einen eingeschriebenen Brief abholen, sehen Sie mal, ich habe hier diese Karte. Da steht: Auf der Hauptpost abholen, neun bis achtzehn Uhr.

Angestellte: Ja, richtig, postlagernde Sendungen, das ist am Schalter 9 in der anderen Halle, da können Sie den Brief abholen. Gehen Sie hier links.

Selektives Hörverstehen Teil 1

Beispiel: Hallo Michael, ich bin's, Christine, ich bin gerade hier am Bahnhof angekommen. Ich nehme jetzt den Bus Nr. 3 und fahre sofort zur Universität, das ist gar kein Problem. Wir sehen uns dann dort im Café. Du kannst mich auch auf dem Handy anrufen. Alles klar? Bis später.

a. Heute haben wir für Sie wieder besonders viele Angebote: Im Erdgeschoss finden Sie Damenoberbekleidung, Taschen und Elektroartikel in großer Auswahl, im ersten Stock finden Sie Damen- und Herrenschuhe für jede Gelegenheit und für jeden Geldbeutel. Besonders interessant sind dabei unsere Angebote für sportliche junge Leute. Im zweiten Stock ist unsere Kinderabteilung. Da gibt es alles für unsere kleinen Kunden.

b. Hier ist die Praxis von Dr. Boll. Unsere Sprechzeiten sind am Dienstag, Donnerstag und Freitag von 10.00 bis 13.00 Uhr und am Mittwoch von 14.00 bis 18.00 Uhr. In dringenden Fällen rufen Sie bitte den ärztlichen Notdienst an unter der Nummer 071 434376.

c. Guten Tag. Hier ist die Volkshochschule der Stadt Auersberg. Bei uns können Sie jeden Monat einen Sprachkurs anfangen. Die nächsten Termine für den Einstufungstest sind: 1. August und 1. September. Weitere Informationen bekommen Sie bei uns am Dienstag und Donnerstag von 18.00 bis 20.00 Uhr.

d. Liebe Fluggäste, in wenigen Minuten landen wir auf dem Flughafen Hannover. Leider haben wir 30 Minuten Verspätung. Die Passagiere gebucht auf den Lufthansaflug 5211 nach München werden gebeten, sofort zum Schalter 21 in Halle B zu kommen. Die Fluggäste im Transitverkehr nach München mit dem Lufthansaflug 5211 gehen bitte sofort zum Schalter 21!

Selektives Hörverstehen Teil 2

Beispiel: *Ulrike:* Ja, hallo, hier ist Ulrike.

Elke: Mensch, Ulrike, wo bleibst du denn? Hast du vergessen, dass wir ins Kino wollen, es ist schon halb acht.

Ulrike: Ja, ich weiß, ich bin gerade erst angekommen, ich stehe hier noch am Bahnhof. Was soll ich denn jetzt machen? Ich bin auch ziemlich müde, ich glaube, ich fahre sofort nach Hause.

Elke: Ach was, der Film ist so toll, den willst du doch schon lange sehen. Du nimmst jetzt den Bus Nr. 3 zum Herderplatz, ich kaufe die Eintrittskarten und wir treffen uns vor dem Astoria-Kino. Ich warte da vor der Kasse auf dich, okay?

Ulrike: Ja gut, da kommt der Bus, bis gleich!

a. Hier ist die Reparaturwerkstatt Helmut Schildkamp, unser Telefon ist im Moment nicht besetzt. Sie können eine Nachricht hinterlassen oder Sie können uns unter folgender Telefonnummer erreichen: München 8 8 8 3 5.

b. *Kunde:* Ich möchte Geld in die Schweiz überweisen.

Angestellte: Füllen Sie bitte dieses Formular aus.

Kunde: Oh je, ich finde die Kontonummer nicht mehr!

Angestellte: Tut mir leid, dann können wir gar nichts machen.

Kunde: Aber vielleicht kann ich die Nummer noch holen – wie lange haben Sie denn geöffnet?

Angestellte: Bis halb eins.

Kunde: Ja, das geht. Ich komme sofort wieder, jetzt ist es ja erst halb zwölf.

Angestellte: Gut, bis später.

c. *Kundin:* Ich möchte mit dem Bus nach Bonn fahren. Ist das möglich?

Angestellter: Ja, natürlich, das dauert aber sehr lange. Sie können mit der S-Bahn fahren, das ist sehr bequem, dann sind Sie in einer Stunde in Bonn. Mit dem Zug geht es sogar noch schneller: nur 50 Minuten, aber der Zug fährt nicht so oft.

Kundin: Nein, nein, ich möchte mit dem Bus fahren.

Angestellter: Gut, der Bus fährt um neun Uhr am Hauptbahnhof ab, in einer Stunde und 30 Minuten sind Sie in Bonn.

d. *Angestellter:* Ja, dann brauchen wir noch Ihren Wohnort, Frau Möller.
Frau: Ich bin hier gerade bei meiner Tochter zu Besuch, die wohnt in der Rosenstraße 25, im ersten Stock.
Angestellter: Wohnen Sie immer hier in Pinneberg?
Frau: Nein, natürlich nicht, ich bin nur zu Besuch, das sage ich doch!
Angestellter: Und wo wohnen Sie wirklich, wo sind Sie gemeldet?
Frau: Also, meine Wohnung habe ich in Hamburg, in der Thälmannstraße.

e. Guten Tag, ihr Lieben, hier ist Veronika. Ihr wisst ja, am Donnerstag ist mein Geburtstag, deshalb möchte ich am Samstag eine Party machen. Ich lade euch ein, am Samstag um halb acht bei mir. Ist das okay? Ich rufe morgen noch einmal an. Tschüss!

f. *Mann:* Schau mal, ein sehr schönes Buch über Mexiko mit vielen Fotos.
Frau: Willst du das kaufen? Das ist sicher ziemlich teuer.
Mann: Ich glaube nicht, die Bücher hier kosten doch alle nur € 4,90.
Frau: Nein, hier steht ja der Preis: Das Mexiko-Buch kostet € 14,90.
Mann: Ja, aber es gefällt mir, ich nehme es.

Übungen zum Hören

Hörverstehen Teil 1

Beispiel: *Frau:* Wann fängt der Film an?
Mann: Ich glaube, um acht Uhr, bist du fertig? Können wir gehen?
Frau: Einen Moment, ich muss noch telefonieren.
Mann: Es ist jetzt aber schon halb acht, wir müssen gehen. Komm jetzt!
Frau: Was, schon halb acht? Ja, dann rufe ich Sybille lieber morgen früh an.
Ich bin fertig, gehen wir!

a. *Mädchen:* Ich will nach Berlin, am Samstag.
Angestellter: Sie könnten mit dem Zug fahren, das kostet 75 Euro.
Mädchen: Kann ich auch nach Berlin fliegen?
Angestellter: Es gibt einen sehr billigen Flug von Köln nach Berlin.
Mädchen: Wunderbar, das mache ich! Ich fahre mit dem Auto nach Köln und dort nehme ich das Flugzeug nach Berlin.

b. *Junge:* Die Pommes frites kosten drei Euro, was meinst du? Pommes frites und Cola?
Mädchen: Ach nein, lieber einen Salat. Oder gibt es das hier nicht?
Junge: Sie haben Fleischsalat.
Mädchen: Ich esse nicht gern Fleisch.
Junge: Tja, dann gibt es nur noch Brötchen – mit Tomaten und Mozzarella.
Mädchen: Weißt du was? Du hast Recht: Wir nehmen doch die Pommes frites!
Junge: Einverstanden!

c. *Mädchen:* Ich möchte nach Kassel, gibt es heute noch einen direkten Zug?
Angestellter: Nein, Sie müssen einmal umsteigen. Der Zug fährt um 12.32 Uhr hier am Hauptbahnhof ab.
Mädchen: Und wann komme ich in Kassel an?
Angestellter: Um 15.13 Uhr
Mädchen: Um 15.13 Uhr? Das ist aber spät, gibt es keinen anderen Zug?
Angestellter: Nein, leider nicht.

d. *Passantin:* Entschuldigung, wie komme ich zum Hotel „Frankfurter Hof"?
Passant: Das ist nicht weit, wollen Sie zu Fuß gehen?
Passantin: Na ja, mein Koffer ist ziemlich schwer, wie weit ist es denn zu Fuß?
Passant: Cirka 20 Minuten, Sie können natürlich auch ein Taxi nehmen.
Passantin: Hmm, ein Taxi …
Passant: Oder Sie fahren mit der Straßenbahn.
Passantin: Das ist eine gute Idee!
Passant: Nehmen Sie die Linie 21, Sie müssen in der Tannenstraße aussteigen. Am besten fragen Sie den Fahrer.

e. *Kollege:* Große Geburtstagsparty heute, nicht wahr?
Kollegin: Ja, heute hat Georg Geburtstag. Stell dir vor: 19 Kinder kommen zu seiner Party! Furchtbar!
Kollege: Ich habe auch einen Sohn, er ist aber schon 15 Jahre alt. Er organisiert seine Partys lieber allein. Und wie alt ist Georg?
Kollegin: Er ist jetzt 9.
Kollege: Also dann, viel Spaß bei der Geburtstagsparty!

f. *Kunde:* Ich brauche ein Flugticket nach Oslo. Ich möchte nächste Woche am Mittwoch fliegen. Was kostet das?

Anhang

Angestellter: Möchten Sie ein einfaches Ticket oder auch zurück?

Kunde: Ist es mit Rückflug billiger?

Angestellter: Nein, das ist der gleiche Preis: Hin und zurück kostet € 301,00 und der einfache Flug kostet € 150,50.

Kunde: Dann nehme ich den einfachen Flug.

g. *Dame:* Ich habe ein Zimmer reserviert. Christiane Paulsen ist mein Name.

Rezeption: Ja, Zimmer 365, wie lange bleiben Sie, Frau Paulsen?

Dame: Nur eine Nacht, ist das Zimmer auch ruhig?

Rezeption: Aber ja, das ist im dritten Stock, das ist ganz ruhig. Würden Sie bitte hier unterschreiben? Und hier ist Ihr Schlüssel, dritter Stock, Zimmer 365.

Dame: Danke schön.

h. *Chef:* Guten Tag, Frau Beile, warum ist denn Herr Maurich nicht da? Ist er schon im Urlaub?

Sekretärin: Aber nein, er fährt doch erst im Mai in Urlaub! Das wissen Sie doch. Heute ist er in Bremen bei der Firma Allerich & Co, wegen der neuen Computer.

Chef: Ich muss unbedingt mit ihm sprechen, morgen ist er ja wohl wieder da, hoffe ich.

Sekretärin: Er ist am Montag wieder im Büro, aber Sie können ihn doch anrufen.

i. *Mutter:* Du suchst also ein Geschenk für Brigitte, vielleicht ein Buch? Was liest sie denn gern?

Tochter: Sie liest nicht viel, sie sieht lieber Filme, im Kino oder DVD oder so.

Mutter: Dann kannst du vielleicht ein Video kaufen.

Tochter: Sie hat doch schon so viele. Aber ein schicker Pullover, das ist was anderes! Schau mal, der da ist doch toll!

Mutter: Ja, aber der ist viel zu teuer, das ist Kaschmir!

Tochter: Okay, dann bekommt sie eine CD von ihrer Lieblingsgruppe.

Mutter: Ja gut, das machen wir!

j. *Kollegin:* Ach, guten Tag, Frau Schmitz, wohnen Sie auch hier in der Schillerstrasse?

Frau Schmitz: Ja, in dem gelben Haus da.

Kollegin: Oh, das große Haus an der Ecke, mit den schönen Bäumen?

Frau Schmitz: Nein, unser Haus ist nicht so groß. Unten ist eine Bank, im ersten Stock wohne ich und im zweiten Stock wohnt mein Sohn.

k. *Passantin:* Ich brauche unbedingt Fahrkarten für die S-Bahn. Wo gibt es die? Bitte schnell, ich habe so wenig Zeit!

Passant: Ich weiß nicht, vielleicht am Schalter?

Passantin: Nein, die sind alle geschlossen. Was mache ich nur? Vielleicht gibt es die Fahrkarten auch am Zeitungskiosk?

Passant: Nein, nein, die verkaufen keine Fahrkarten! Sie müssen zum Automaten gehen.

Passantin: Aber das dauert doch so lange. Ich kann das auch gar nicht.

Passant: Doch, kommen Sie, ich helfe Ihnen.

Hörverstehen Teil 2

Beispiel: Liebe Schülerinnen und Schüler, der Bus hält jetzt gleich vor dem Deutschen Museum. Steigt bitte aus und geht zum Eingang. Dort wartet ihr dann alle. Wir treffen uns am Eingang des Museums.

a. Liebe Fahrgäste, in wenigen Minuten erreichen wir den Bahnhof Hamburg Altona. Wir bitten die Fahrgäste auf der linken Seite auszusteigen. Bitte steigen Sie in Fahrtrichtung links aus dem Zug!

b. Achtung, Achtung, der Intercity 733 von Köln nach Berlin, planmäßige Abfahrt um 11.34 Uhr fährt heute nicht von Gleis 7 ab, sondern von Gleis 16. Der Intercity 733 von Köln nach Berlin, planmäßige Abfahrt um 11.34 Uhr fährt heute von Gleis 16 ab.

c. Der Flug Conan-Air Nummer 4538 nach Lissabon kann wegen des schlechten Wetters nicht von Hamburg abfliegen. Die Fluggäste werden gebeten zum Flugsteig A 33 zu kommen. Von dort fährt ein Bus zum Flughafen Lübeck. Die Fluggäste des Conan-Air-Flugs nach Lissabon bitte zum Flugsteig A 33! Sie fahren mit dem Bus zum Flughafen Lübeck.

d. Die Mutter der kleinen Katrin soll bitte zum Informationsschalter im ersten Stock kommen. Wir haben Katrin allein im Restaurant gefunden, es geht ihr gut. Sie wartet jetzt im ersten Stock am Informationsschalter auf ihre Mutter.

e. Liebe Kunden, auch heute haben wir wieder günstige Artikel für Sie im Angebot: argentinischer Rinderbraten, das Kilo zu € 24,25, französischer Camembert, 200 Gramm nur € 1,90. Außerdem gibt es bei uns wie immer frisches Obst und Gemüse, heute in besonders guter Qualität.

 f. Liebe Besucher, wir machen Sie darauf aufmerksam, dass das Museum heute nur bis 20.00 Uhr geöffnet ist. Wir möchten Sie bitten, sich rechtzeitig zum Ausgang zu begeben. An alle Besucher: Wir schließen in 10 Minuten, kommen Sie bitte zum Ausgang.

 g. Reisende nach Amsterdam mit Flug HBM 373 kommen Sie bitte zum Flugsteig 13; Reisende nach Amsterdam mit HBM 373 kommen Sie bitte zum Flugsteig 13. Herr de Vries, gebucht auf den Flug HBM 373 nach Amsterdam, kommen Sie bitte erst zum HBM-Schalter 24 in Halle A, Herr de Vries bitte zum HBM-Schalter 24 in Halle A.

 h. Der Intercity IC 852 aus Hannover, planmäßige Ankunft 17.04 Uhr, hat voraussichtlich 30 Minuten Verspätung. Der Intercity IC 852 aus Hannover kommt mit 30 Minuten Verspätung auf Gleis 7 an.

 i. Frau Zalewski, angekommen mit der Gruppe Albatour aus Prag, kommen Sie bitte sofort zum Ausgang! Der Bus für Ihre Gruppe steht abfahrbereit auf dem Parkplatz, kommen Sie bitte sofort zum Ausgang, wir warten nur noch auf Sie!

Hörverstehen Teil 3
 Beispiel:
Kostenlose Auskunft: Unsere Telefonnummer hat sich seit dem 1. Januar geändert. Sie erreichen uns jetzt unter der Nummer 3 4 7 0 1.

 a. Hallo Gisela, hier ist Marion. Ich bin noch im Buchladen. Mein Auto steht vor der Bank, ich komme dich sofort abholen. Wir treffen uns vor der Post, warte da am Eingang auf mich. Ich bin gleich da!

 b. Hallo Karl, du weißt doch noch, dass du heute einkaufen musst? Mein Bruder kommt heute Abend auch, ich will eine Gemüsesuppe machen und mein Bruder bringt eine Flasche Wein mit. Aber wir haben kein Brot mehr, das musst du unbedingt noch einkaufen. Tschüss, bis später!

 c. Hier ist die Reparaturwerkstatt Meyer, heute ist Donnerstag, der 8. Mai. Leider können wir morgen nicht zu Ihnen kommen. Wir können aber eventuell übermorgen, am Samstagvormittag bei Ihnen arbeiten. Würde Ihnen das passen? Rufen Sie uns bitte auf jeden Fall an!

 d. Hallo Anette, hier ist Martin. Ich will dir ja gern bei deinem Computer helfen, aber wann können wir uns treffen? Heute Abend habe ich keine Zeit und am Vormittag bist du ja immer in der Universität. Wie sieht es denn am Sonntag bei dir aus? Am Sonntag habe ich Zeit – vielleicht am Nachmittag? Ruf mich doch bitte an!

 e. Hier ist die Praxis von Dr. Buschwein. Unsere Praxis ist geöffnet von Montag bis Freitag von 9.00 bis 12.00 Uhr. Am Nachmittag erreichen Sie mich telefonisch unter der Nummer 88743. Am Wochenende wenden Sie sich bitte an den ärztlichen Notdienst.

 f. Hallo Michael, ich bin noch im Zug, wir haben leider eine halbe Stunde Verspätung. Willst du mich am Bahnhof abholen? Dann hast du noch viel Zeit: Jetzt ist es halb sieben und wir sind erst um sieben im Bahnhof. Also, tschüss, bis dann!

 g. Guten Tag, hier ist die Buchhandlung Halberich. Lieber Herr Schneider, das Wörterbuch, das Sie bestellt haben, ist jetzt da. Sie können es jederzeit abholen. Ich bestätige Ihnen noch einmal den vereinbarten Preis: Sie bekommen das große Wörterbuch zum Vorzugspreis von € 50,50. Wir freuen uns auf Ihren Besuch.

 h. Liebe Sylvia, ich kann dich nun leider doch nicht abholen, aber du findest bestimmt ein Taxi am Bahnhof. Weißt du die Adresse noch? Wir wohnen in der Bellinstraße 327, das ist ganz in der Nähe vom Berliner Platz. Der Taxifahrer kennt die Straße bestimmt, sie ist ziemlich lang. Tschüss, ich freu mich auf dich!

 i. Hier ist der Ansagedienst der deutschen Telekom. Die Rufnummer des Teilnehmers hat sich geändert. Die neue Rufnummer erfahren Sie bei der Telefonauskunft unter der Nummer: 6 7 6 4 5.

Anhang

Modul 5: Simulation

Hören Teil 1

Beispiel: *Frau:* Bitte, wo kommt denn der Zug aus Leipzig an? Der Intercity, der kommt doch jetzt gleich, oder?
Mann: Der Intercity aus Leipzig, Ankunft 17.44 Uhr, Einfahrt auf Gleis 17.
Frau: 17.44 Uhr auf Gleis 17, danke schön!

1. *Mann:* Gibt es diese Sportschuhe auch in Rot?
Verkäuferin: Ja, aber die roten sind nicht im Angebot. Die sind also etwas teurer.
M: Was kosten denn die roten Schuhe?
V: 98,50 €.
M: Ja, das ist ziemlich viel, ich weiß nicht … 98,50 € … kann ich die Schuhe mal sehen?
V: Ja, gern, ich hole sie sofort. Die sind wirklich sehr schön!

2. *Frau:* Entschuldigung, wie komme ich am besten zum Bahnhof?
Passant: Zu Fuß ist es ziemlich weit. Sie können mit einem Taxi fahren oder den Bus nehmen.
F: Lieber den Bus, aber ich habe keine Fahrkarte.
P: Die Fahrkarten bekommen Sie da im Zeitungsladen. Sie müssen die Linie 12 nehmen, die fährt direkt zum Bahnhof.

3. *Mann:* Guten Tag, ich bin Alois Huber. Ich habe um zehn Uhr einen Termin bei Frau Dr. Beile.
Sekretärin: Guten Tag, Herr Huber, leider kommt Frau Dr. Beile heute etwas später. Können Sie vielleicht hier warten?
M: Ich habe sehr wenig Zeit. Wie lange muss ich denn warten?
S: Eine halbe Stunde, bis halb elf.
M: Gut, dann bin ich in 30 Minuten wieder hier.

4. *Frau:* Guten Tag Herr Paulsen, wie schön, dass ich Sie hier treffe, wohnen Sie auch in der Wielandstraße?
Mann: Ach, Frau Meyer, guten Tag, nein, ich wohne nicht hier. Wie geht es Ihnen?
Frau: Danke gut, ich sehe Sie so oft hier, wo wohnen Sie denn?
Mann: In der Ifflandstraße, das ist nicht weit von hier.
Frau: In dem schönen neuen Haus an der Ecke?
Mann: Nein, ich wohne Ifflandstraße Nummer 35. Das ist kein neues Haus.

5. *Frau:* Oh wie schade, heute ist das Museum geschlossen! Wann können wir es denn sehen?
Mann: Das Museum ist von Dienstag bis Donnerstag geöffnet, am Vormittag von neun bis zwölf Uhr.
Frau: Aber wir können nur am Nachmittag kommen!
Mann: Das Museum ist am Mittwoch und am Freitag von 15.00 bis 17.00 Uhr geöffnet.
Frau: Danke, wir kommen am Freitag wieder.

6. *Angestellter:* Was kann ich für Sie tun?
Frau: Ich möchte nach Koblenz fahren, morgen früh.
Angestellter: Möchten Sie mit dem Schiff fahren?
Frau: Nein, ich habe nicht so viel Zeit.
Angestellter: Ja, es gibt auch noch den Zug und einen Bus. Was finden Sie besser?
Frau: Also, wann fährt der erste Zug?
Angestellter: Um 7.33 Uhr.
Frau: Ja gut, ich nehme den Zug um 7.33 Uhr.

Hören Teil 2

Beispiel: Herr Adriaan van der Velde, angekommen aus Amsterdam, wird gebeten, sich am Schalter 17 in der Halle A zu melden. Herr Adriaan van der Velde bitte zum Schalter 17 in Halle A!

7. Liebe Fahrgäste, wir kommen jetzt zur Raststätte „Kamener Kreuz". Hier machen wir eine längere Pause, Sie können etwas essen und trinken. Wir fahren um 20.15 Uhr weiter. Jetzt ist es Viertel vor acht, wir fahren in einer halben Stunde weiter. Seien Sie bitte pünktlich wieder am Bus! Guten Appetit!

8. In wenigen Minuten erreichen wir den Bahnhof Steinkamm. Wir bitten die Fahrgäste auf der linken Seite auszusteigen. Nächster Halt Bahnhof Steinkamm, steigen Sie bitte in Fahrtrichtung links aus!

9. Besondere Angebote gibt es heute im dritten Stock: Sportschuhe bis Größe 36 ab 9,90 €, T-Shirts bis 120 cm für 3 Euro, Kinder-Jeans und -Pullover ab 7 Euro. Nach dem Einkauf gibt es für Mütter und Kinder eine kleine Erfrischung. Herzlich willkommen!

10. Die kleine Elisabeth sucht ihre Mutter! Wir haben sie in der Abteilung Damen-Oberbekleidung gefunden. Sie ist jetzt am Informationsschalter im achten Stock. Die Mutter von Elisabeth soll bitte zum Informationsschalter im achten Stock kommen.

Hören Teil 3

 11. Hallo Gisela, hier ist Sybille. Bist du fertig mit den Hausaufgaben? Gehst du mit mir einkaufen? Katrin kommt auch mit, wir wollen in das neue Geschäft in der Hauptstraße gehen. Wir treffen uns um fünf am Kiosk vor der Schule. Komm doch auch! Tschüss!

 12. Guten Abend, Herr Müller, hier ist das Autohaus Reilig, Ihr Auto ist jetzt fertig, Sie können es morgen abholen. Wir haben von neun bis dreizehn Uhr geöffnet, am Nachmittag ist hier geschlossen. Fragen Sie bitte nach Herrn Schmedig, Sie können das Auto dann gleich mitnehmen.

 13. Guten Tag, Frau Behrmann, hier ist die Firma Intercom. Können Sie bitte morgen Vormittag zu einem Gespräch zu uns kommen? Am besten zwischen zehn und elf. Ich sage Ihnen noch einmal die Adresse: Tirolerstraße 278, das ist nicht weit vom Thälmannplatz. Hinter dem Haus finden Sie einen Parkplatz.

 14. Hallo Franz, hier ist Susanne, ich habe jetzt alle Informationen: Morgen gibt es viele Züge nach Dresden. Ich finde aber, wir fahren lieber früh ab. Da ist ein Intercity um halb neun, dann sind wir um halb eins in Dresden. Das ist doch prima, oder? Ruf mich bitte auf dem Handy an, ich komme heute erst um Viertel vor zehn nach Hause.

 15. Hier ist die Praxis von Dr. Weinrich. Die Praxis ist geöffnet von Montag bis Donnerstag von 8.30 Uhr bis 13.00 Uhr. Wenn Sie einen Termin am Nachmittag brauchen, rufen Sie bitte an unter der Nummer 4 5 5 8 9 1. Nach dem Signalton können Sie eine Nachricht hinterlassen.

Lösungsschlüssel

Modul 1: Lesen

Wortschatz „essen" und „trinken"

Übung 2, Seite 6
1 e; 2 g; 3 a; 4 f; 5 b; 6 c; 7 h; 8 d

Übung 3, Seite 6
1 c; 2 a; 3 a; 4 c; 5 b; 6 b

Übung 4, Seite 7
Im Café: d, b, f, j, g   Am Kiosk: h, e, c, i, a

Übung 5, Seite 7
Frühstück, Wein, Zucker, Milch, Birne, Kuchen, Getränke, Gäste
Lösungswort: Rechnung

Übung 6, Seite 7
Mögliche Lösung:
2. Was möchtest du essen? 3. Was möchtest du trinken? 4. Was ist dein Lieblingsessen? 5. Wie schmeckt der Fisch? 6. Möchtest du etwas trinken? 7. Möchtest du eine Zigarette?

Wortschatz „wohnen"
Übung 1, Seite 8
1. der Stuhl, 2. das Bett, 3. das Bild, 4. der Fernseher, 5. der Herd, 6. der Schrank, 7. der Kühlschrank, 8. das Sofa, 9. die Uhr, 10. der Bücherschrank, 11. der Schreibtisch, 12. der Tisch
Mögliche Lösungen:
4 Stühle, 2 Betten, 5 Bilder, 2 Fernseher, 1 Herd, 2 Schränke, 1 Kühlschrank, 2 Sofas, 3 Uhren, 1 Bücherschrank

Übung 2, Seite 9
1 r; 2 f; 3 f; 4 f; 5 r; 6 f; 7 f

Übung 3, Seite 9
1 b; 2 g; 3 f; 4 i; 5 e; 6 h; 7 d; 8 j; 9 c; 10 a

Übung 4, Seite 10
1 a; 2 b; 3 b; 4 b; 5 a; 6 b

Übung 5, Seite 10
Mögliche Lösungen:
2. Wie ist die Adresse?
3. Wie groß ist die Wohnung?
4. Wie viel kostet sie?
5. Darf ich meinen Hund mitbringen?
6. Wann kann ich einziehen?
7. Wann kann ich die Wohnung sehen?

Wortschatz „reisen"

Übung 1, Seite 11
2 das Ticket
3 der Pass
4 die Kreditkarte
5 das Geld
6 der Koffer
7 die Tasche
8 der Stadtplan
9 die Kleidung

Übung 2, Seite 12
1 c, 2 d, 3 e, 4 a, 5 f, 6 b

Übung 3, Seite 12
1 f; 2 f; 3 r; 4 f; 5 f; 6 r; 7 r; 8 r

Übung 4, Seite 13
1 i; 2 c; 3 f; 4 g; 5 h; 6 b; 7 d; 8 a; 9 e

Übung 5, Seite 13
1 a; 2 c; 3 b; 4 b; 5 a; 6 b; 7 b; 8 b

Übung 6, Seite 14
Mit dem Flugzeug: m, c, j, e, h, a, n, l
Mit dem Zug: k, g, d, i, o, b, f, p

Tipps zum Leseverstehen

Übung 1, Seite 17
A 3; B 7; C 5; D 1; E 9; F 6; G 8; H 4; I 2

Übung 2, Seite 18
a. wichtig, Morgen, Fußballspiel, Fernseher kaputt;
bei Dir?

b. Konzert nicht, Eintritt zurück, Kasse:
19.30–20.30

c. endlich Arbeit, Projekt-Assistentin, technische
Projekte, Goslar

d. Damenmode, Qualität, ab Montag

e. Fax, Rotwein, vier Flaschen kaputt

Selektives Leseverstehen

Übung 1, Seite 20
a.
1. Zeile 5: „René kocht"
2. Zeile 6: „das Trio"
3. Zeile 9: „bis in den frühen Morgen"

b. A

c. 1 c; 2 d; 3 i

d. Brief 1: Entschuldigung, Zeile 4; Brief 2: Einladung, Zeile 4; Brief 3: Dank, Zeile 5

e. a r; b f; c f; d r; e r; f f

Detailliertes Leseverstehen

Übung 1, Seite 23
a. 1 f; 2 f; 3 r

b. a 3; b 5; c 1; d 7; e 6; f 4; g 2

c. Das ist mein neues Zimmer. Der große Schrank
ist ein Geschenk von meinem Vater. An dem
Tisch hier am Fenster arbeite ich. In der Ecke ist
die Treppe zum ersten Stock. Da oben schlafe ich.

Leseverstehen Teil 1

Seite 25–26
a. 1 r; 2 r; 3 f; 4 f; 5 f

b. 1 r; 2 f; 3 f; 4 r; 5 f

c. 1 r; 2 f; 3 f; 4 f; 5 f

Leseverstehen Teil 2

Seite 28–30
1 b; 2 a; 3 b; 4 b; 5 b; 6 a; 7 a; 8 a

Leseverstehen Teil 3

Seite 30–32
1 r; 2 f; 3 f; 4 r; 5 f; 6 f; 7 r; 8 r

Modul 2: Hören

Wortschatz „Ich und die anderen"

Übung 1, Seite 33
Mögliche Lösungswörter:
mein Ehemann, meine Eltern, meine Mutter, mein
Vater, meine Schwester, mein Bruder, meine Geschwister, meine Tochter, mein Sohn, meine Kinder, meine Großeltern, meine Großmutter, mein
Großvater

Übung 2, Seite 33
das Mädchen – der Junge
die Frau – der Mann
die Mutter – der Vater
die Großmutter – der Großvater
die Freundin – der Freund
die Chefin – der Chef

die Partnerin – der Partner
die Tochter – der Sohn
die Ehefrau – der Ehemann
die Bekannte – der Bekannte
die Deutsche – der Deutsche
die Oma – der Opa

Übung 3, Seite 33
Wie heißen Sie?
Wo wohnen Sie?
Seit wann sind Sie in Deutschland? / Wie lange
schon?
Wie ist Ihre Adresse?
Wie ist Ihre Telefonnummer?
Wie ist Ihr Geburtsdatum?
Was sind Ihre Hobbys?

Übung 4, Seite 34
Wohnung: b, i, g, k
Beruf: f, a, h, e
Heimat: j, l, c, d

Übung 5, Seite 34
1 Baby, 2 Menschen, 3 Herr, 4 ledig, 5 Familie,
6 Ehemann
Lösungswort: Berlin

Übung 6, Seite 34
1 d; 2 f; 3 e; 4 b; 5 c; 6 g; 7 a

Übung 7, Seite 35
b. Er ist ein Junge.
c. Sie sind Jugendliche.
d. Wir sind Bekannte.
e. Er ist mein Freund.
f. Sie ist meine Ehefrau.
g. Sie ist ledig.
h. Wir sind Geschwister.
i. Ich wohne alleine.
j. Wir arbeiten zusammen.

Übung 8, Seite 35
1 e; 2 a; 3 f; 4 b; 5 g; 6 h; 7 d; 8 c

Wortschatz „Bank", „Post", „Telefon"
Übung 1, Seite 36
Mögliche Lösungswörter:
(1) der Absender, (2) die Briefmarke,
(3) die Adresse, (4) der Empfänger, (5) die Straße,
(6) die Postleitzahl, (7) die Stadt, (8) das Land,
(9) die Hausnummer

Übung 2, Seite 37
Familienname, Vorname
Geburtsdatum, Geburtsort
Straße und Hausnummer, Postleitzahl
Ort, Telefonnummer
E-Mail
Ort, Datum
Unterschrift

Übung 3, Seite 37
Briefmarken: f, c, g, b, j
Ausweis: l, h, o, e, n
Fax: m, k, d, a, i

Übung 4, Seite 38
Tag; lange; Deutsch; Seit; heißen; Vorname; heiße;
Geburtsort; Geburtsdatum

Übung 5, Seite 38
1 e; 2 f;, 3 b; 4 h; 5 g; 6 a; 7 c; 8 d

Übung 6, Seite 38
Handy, Pass, Briefmarke, bar, anrufen, Formular,
Geburtstag
Lösungswort: Hamburg

**Wortschatz „Mit dem Auto, mit dem Zug,
zu Fuß"**
Übung 1, Seite 39
Bahnhof: der Zug, fahren, Fahrkarte, Abfahrt,
Gleis, Bahnsteig
der Flughafen: das Flugzeug, fliegen, Ticket,
Ausland
der Ausflug: Rad fahren, wandern, Fahrrad

Übung 2, Seite 39
1 b; 2 c; 3 c; 4 b; 5 c; 6 a

Übung 3, Seite 40
Mögliche Lösung:
Gehen Sie zuerst geradeaus, dann die erste Straße
rechts, dann die zweite links und dann geradeaus
weiter, da ist dann der Dom.

Übung 4, Seite 40
2 das Fahrrad; 3 der Zug; 4 der Bus; 5 die Straßenbahn; 6 das Auto; 7 die U-Bahn; 8 das Flugzeug

Die Hörsituation

Übung 1, Seite 42
1 B; 2 G; 3 F; 4 A; 5 C; 6 D; 7 E

Übung 2, Seite 42
Mögliche Lösung:
a. Was nimmst du? – Ich glaube, ich nehme den
Fisch mit Salat. b. Wie komme ich zum Heimat-
museum? – Das ist hier hinter dem Dom. c. Den
roten Pullover finde ich gut. – Mir gefällt der
schwarze aber besser. d. Wollen wir tanzen? – Ich
möchte lieber erst etwas trinken.

Übung 3, Seite 43
a. Hotel; Doppelzimmer, zwei Nächte
b. Büro; Arbeitsplatz, Computer, Telefon, Kollege
c. Restaurant; Salatplatte, Brot
d. Bahnhof; Zug, 20 Minuten; Gleis; Einfahrt
e. Schuhgeschäft; Größe 39, Schuhe

Globales Hörverstehen

Dialog a, Seite 44
1. Im Zug
2. die Fahrkarte sehen

Dialog b, Seite 45
1. zwei Jungen, Freunde
2. Fußball

Dialog c, Seite 45
1. auf der Post
2. sie kennt die Post nicht

Selektives Hörverstehen

Teil 1, Seite 46
a r; b f; c f; d f

Teil 2, Seite 47
a c; b a; c a; d a; e a; f a

Übungen zum Hörverstehen

Teil 1, Seite 49: a c; b b; c c; d b; e a; f c; g c; h a; i c;
j a; k c

Teil 2, Seite 51: a f; b f; c r; d f; e f; f f; g r; h f; i f

Teil 3, Seite 52: a b; b c; c b; d a; e c; f c; g a; h a; i a

Modul 3: Schreiben

Übungen zum Wortschatz

Übung 1, Seite 53
a fotografieren; b kochen; c tanzen; d schwimmen;
e lesen; f Tennis spielen; g Musik hören; h wandern; i Fußball spielen; j reisen

Übung 2, Seite 53
2. Ich wandere gern. 3. Wir gehen gern spazieren.
4. Sabine und Erika tanzen gern. 5. Frau Edelmann
sieht gern fern. 6. Christian liest gern.
7. Sybille hört gern Musik. 8. Ich fahre gern Rad.
9. Herr Schmidt fotografiert gern.

Übung 3, Seite 54
a 2; b 4; c 1; d 6; e 7; f 5; g 3

Übung 4, Seite 54
1 a; 2 b; 3 c; 4 b; 5 a; 6 b

Übung 5, Seite 55
1 i; 2 d; 3 b; 4 f; 5 e; 6 c; 7 g; 8 a; 9 h

Wortschatz „Kleidung"

Übung 1, Seite 56
teuer – billig; lang – kurz; jung – alt; neu – alt;
schwer – leicht; dunkel – hell; groß – klein; laut –
leise; langsam – schnell

Übung 2, Seite 56
1 c; 2 b; 3 b; 4 a; 5 c; 6 a; 7 c; 8 c

Übung 3, Seite 56
1 Geld; 2 Jacke; 3 Kleidung; 4 lieber; 5 lang
Lösungswort: Laden

Übung 4, Seite 57
„Schuhe" 1 g; 2 d; 3 b; 4 j; 5 e
„Pullover" 1 c; 2 a; 3 f; 4 i; 5 h

Wortschatz „Körper, Gesundheit"

Übung 1, Seite 58
a der Arm; b das Auge; c der Bauch; d das Bein;
e der Fuß; f das Haar; g die Hand; h der Kopf;
i der Mund; j die Nase

Übung 2, Seite 58
1 b; 2 a; 3 b; 4 c; 5 c; 6 b

Übung 3, Seite 59
1 f; 2 b; 3 e; 4 c; 5 d; 6 g; 7 i; 8 j; 9 k; 10 a; 11 h

Übung 4, Seite 59
a f; b r; c f

„Sätze bauen"
Übung 1, Seite 60
a ?; b ?; c Punkt; d ?; e Punkt; f ?; g ?; h Punkt;
i Punkt; j Punkt; k ?

Übung 2, Seite 61
1 ?; 2 ?; 3 :; 4 Punkt; 5 Punkt; 6 Punkt; 7 Punkt;
8 ?; 9 ?; 10 Punkt; 11 !

Übung 3, Seite 61
Mögliche Lösung:
1. Das Flugzeug landet pünktlich in Frankfurt.
2. Das Schiff nach Usedom fährt jeden Tag um
7.30 Uhr ab.
3. Am Nachmittag gibt es um 14 Uhr eine Führung im Schloss.
4. Sie können das Museum heute leider nicht
besichtigen.
5. Viele Leute fahren am Wochenende zum
Schwimmen ans Meer.
6. Kannst Du mir morgen bei den Hausaufgaben
helfen?
7. Am Montag sind viele Museen in München
geschlossen.
8. Wann können wir die Großeltern besuchen?

Übung 4, Seite 62
Mögliche Lösung:
b. Heute Abend bin ich bei meiner Freundin.
c. Im Urlaub fahren wir nach Wien.
d. Am Wochenende bleibe ich zu Hause.
e. Am Vormittag arbeite ich im Büro.
f. In der Nacht schlafe ich im Bett.
g. Um 8 Uhr gehe ich zur Arbeit.

Übung 5, Seite 62
b. Um halb acht frühstückt er. c. Um acht Uhr
geht Herr Meier zur Arbeit. d. Um zehn Uhr ist
er im Büro. e. Um ein Uhr isst Herr Meier (zu
Mittag). f. Um halb sechs geht er spazieren.
g. Um sechs Uhr geht er ein Bier trinken.
h. Um acht Uhr sieht er fern. i. Um zehn Uhr
geht er ins Bett.

Texte bauen
Übung 1, Seite 63
1 b; 2 a; 3 b; 4 b; 5 a; 6 b; 7 b; 8 b; 9 a; 10 a; 11 b

Übung 2, Seite 63
A 2; B 3; C 1

Übung 3, Seite 64
1 b; 2 d; 3 a; 4 c; 5 f; 6 e

Übung 4 , Seite 64
Liebe Karin,
hast Du schon Pläne für den Sommer? Sylvia
und ich wollen nach Ungarn fahren, kommst
Du mit? Sylvias Großmutter lebt in Budapest.
Wir fahren zuerst zu ihr und wollen dann das
ganze Land sehen, komm doch mit! Komm
doch nächste Woche am Mittwochabend zu
mir. Sylvia ist dann auch da und wir sprechen
über unsere Reise.
Tschüss, deine Birgit

Übung 5, Seite 65
A 2; B 3; C 4; D 1

Persönliche Daten formulieren
Übung 1, Seite 65
a f; b f; c r; d f; e f; f r; g f; h r; i r; j f; k r

Übung 2, Seite 65
b Wie ist ihr Vorname? c Wo wohnen Sie? d Wie
ist Ihre Telefonnummer? e Woher kommen Sie?
f Wo sind Sie geboren? g Seit wann sind Sie in
Deutschland? h Was machen Sie in Deutschland?

Übungen zum Schreiben
Teil 1: Formular
Übung 1 , Seite 66
Wohnung; 14. Juni; 20. Juni; 3 Personen; eins

Übung 2, Seite 66
Irene Sibulski; Hermannstr. 120; Siegen; 71104;
Freiburg

Übung 3, Seite 67
Hamburg; Oktober; Berlin; 2; Vier-Sterne-Hotel

Übung 4, Seite 67
Evangelis; Karin; Kanalstr. 44; Potsdam; Konzerte

Übung 5, Seite 68
Köln; Spanischlehrerin; Spanisch; seit sechs
Monaten; Englisch

Schreiben Teil 2: kurze Mitteilungen
Mögliche Lösungen:
Übung 1, Seite 69
Apartment in Weimar
Ich will im Sommer einen Sprachkurs in
Weimar besuchen. Ich brauche eine kleine
Wohnung für sechs Monate. Der Kurs beginnt
im Mai. Können Sie mir helfen?
Freundliche Grüße   (31 Wörter)

Übung 2, Seite 69
Liebe Irene,
Du(*) möchtest mich im August besuchen, das
ist natürlich eine gute Idee. Aber leider muss ich
nach Berlin fahren. Komm doch lieber im Sep-
tember! Du weißt: Am 10. September habe ich
Geburtstag, dann können wir eine große Party
machen.
Bitte antworte bald.
Liebe Grüße   (45 Wörter)

Übung 3, Seite 69
Liebe Frau Meyer-Siebeck,
herzlichen Dank für die Einladung zu Ihrer
Geburtstagsparty. Leider kann ich am Samstag
aber nicht kommen. Ich muss für meine Firma
nach Hannover fahren, es tut mir wirklich sehr
leid! Am Montag komme ich wieder nach
Hause, vielleicht können wir uns dann treffen?
Herzlichen Glückwunsch zum Geburtstag.
                                   (48 Wörter)

Übung 4, Seite 70
Doppelzimmer für vier Nächte
Ich möchte ein Doppelzimmer mit Halbpension
bestellen. Wir kommen am 5. Juni in Hamburg
an und wollen vier Tage dort bleiben.
Unser Flugzeug kommt am 5.6. um 16.30 auf
dem Flughafen Fuhlsbüttel an.
Können Sie uns bitte am Flughafen abholen?
Mir freundlichen Grüßen   (39 Wörter)

Übung 5, Seite 70
Lieber Herr Benradt,
ich bin xxx, Sie waren im letzten Jahr in
München mein Deutschlehrer. Der Kurs war
sehr interessant.
Jetzt bin ich wieder zu Hause, aber in diesem
Sommer möchte ich wieder nach München
kommen und noch einen Kurs besuchen.
Machen Sie in diesem Jahr wieder einen Kurs?
Wann beginnt er? Wie kann ich mich für den
Kurs anmelden?
Herzliche Grüße   (51 Wörter)

Übung 6, Seite 71
Hallo Sylvia,
ich glaube, an diesem Wochenende scheint die
Sonne. Wir können ans Meer fahren und
schwimmen.
Ich hole dich am Sonntag um 8.30 mit dem
Auto ab.
Du musst Deinen Fotoapparat und etwas zu
essen mitnehmen!
Bitte, ruf mich heute Abend an!   (37 Wörter)

Übung 7, Seite 71
Lieber Michael,
ich habe ein Problem, kannst Du mir bitte
helfen? Ich will einen neuen Computer kaufen.
Aber Du weißt ja, ich bin kein Computer-
Experte.
Kannst Du mit mir in das Geschäft gehen? Der
„Media-Shop" ist auch am Sonntag geöffnet.
Wann hast Du Zeit?
Liebe Grüße   (39 Wörter)

Übung 8, Seite 71
Informationen über Lübeck
In diesem Sommer will ich mit meinen Freun-
den in Norddeutschland Urlaub machen. Wir
wollen auch Lübeck besichtigen und wir möch-
ten dort in der Jugendherberge übernachten.
Können Sie mir bitte Informationen über die
Sehenswürdigkeiten und die Jugendherberge in
Lübeck schicken?
Herzlichen Dank   (42 Wörter)

Modul 4: Sprechen

Wortschatz „Arbeit, Beruf, Schule"
Übung 2, Seite 72
In der Schule: 1 d; 2 b; 3 j; 4 h; 5 c
Im Büro: 1 f; 2 e; 3 a; 4 i; 5 g

Übung 3, Seite 73
1 b; 2 c; 3 b; 4 a; 5 b; 6 c; 7 a; 8 c

Übung 4, Seite 73
1 b; 2 g; 3 h; 4 a; 5 i; 6 k; 7 e; 8 d; 9 f; 10 c; 11 j

Übung 5, Seite 74
1 Sprachen; 2 Job; 3 Filme; 4 Arbeitsplatz;
5 Kugelschreiber; 6 Internet; 7 Test; 8 Vormittag
Lösungswort: Computer

Wortschatz „Einkaufen"
Übung 1, Seite 75
– Obst- und Gemüseladen:
die Kartoffeln
die Äpfel
die Bananen
der Salat
die Tomaten
– Bäckerei:
das Brot
das Brötchen
der Kuchen

(*) Du schreibt man in Briefen oft groß. Das ist höflich. Aber du (klein) ist auch nicht falsch.

– Supermarkt
die Butter
der Reis
der Saft
die Eier
die Milch
– Buchladen
die Bücher
die CDs
– Möbelgeschäft
der Tisch
das Bett
das Sofa

Übung 2, Seite 76
a 3; b 4; c 7; d 1; e 6; f 2; g 8; h 5

Übung 3, Seite 76
Im Obst- und Gemüseladen: 1 d; 2 h; 3 c; 4 l
Im Schuhgeschäft: 1 e; 2 j; 3 g; 4 a
In der Bäckerei: 1 b; 2 f; 3 i; 4 k

Übung 4 , Seite 77
1 g; 2 f; 3 b; 4 b; 5 h; 6 g; 7 i; 8 c; 9 d; 10 e; 11 a;
12 d

Übung 5, Seite 77
a f; b r; c r; d f

Übung 6
2 f; 3 a; 4 g; 5 c; 6 h; 7 b; 8 d

Wortschatz „Termine, Verabredungen"
Übung 1, Seite 79
2 Um zehn Uhr am Vormittag. 3 Um zwölf Uhr
am Mittag. 4 Um drei Uhr am Nachmittag. 5 Um
acht Uhr am Abend. 6 Um zwölf Uhr in der Nacht.

Übung 2, Seite 79
2 am Schalter; 3 am Eingang; 4 an der Ecke;
5 vor der Post; 6 im Restaurant; 7 vor dem Kino

Übung 3, Seite 80
1 b; 2 c; 3 b; 4 a; 5 c; 6 c; 7 a; 8 c

Übung 4, Seite 80
b. Tut mir leid, am Wochenende muss ich arbeiten. c. Ja gut, wir treffen uns um 16.30 auf dem
Tennisplatz d. Natürlich, ich finde Peter sehr sym-
pathisch. / ich gehe gern mit zu Peter. e. Tut mir
leid, / Leider nicht, mein Auto ist kaputt. f. Ich
kann leider nicht mitkommen, am Sonntag muss
ich arbeiten. g. Ich kann nicht, heute Abend bin
ich im Theater.

Übung 5, Seite 81
Mit der Praxis Dr. Burkhart: 1 h; 2 e; 3 b; 4 g; 5 c
Mit Biggi: 1 d; 2 j; 3 f; 4 a; 5 i

Tipps zum Sprechen
Sätze bauen
Übung 1, Seite 83
a 1; b 1; c 2; d 2; e 2; f 1; g 1; h 2 ; i 2; j 1

Übung 2, Seite 83
Mögliche Lösungen:
a 2: Ja, wir haben einen Garten. / Nein, ich wohne
im vierten Stock.
b 1: Drei Zimmer.
c 1: Ein Bett, ein Schreibtisch und ein Schrank.
d 2: Ja, ich liebe es. / Nein, ich frühstücke in der
Küche.
e 1: Gartenstraße 12.
f 2: Ja, das ist sehr praktisch. / Nein, ich wohne
im 3. Stock.
g 1: Seit zwei Monaten.
h 2: Ja. / Nein, ich wohne mit meiner Familie
zusammen.

Übung 3, Seite 84
– Reisen:
das Auto
der Urlaub
das Ausland
der Pass
das Hotel
die Jugendherberge
der Zug
das Flugzeug
das Meer
das Gepäck
– Wohnen:
der Stock
das Apartment
der Balkon
die Möbel
die Küche
der Garten
die Miete
das Zimmer
– Freizeit:
das Auto
der Ausflug
das Fahrrad
das Schwimmbad
das Hobby
der Sport
die Sonne
der Fußball

das Meer
das Konzert
– Arbeit:
das Auto
die Stelle
der Computer
der Arbeitsplatz
der Chef
die Mittagspause
der Beruf
das Studium
das Internet
– Einkaufen:
das Geschäft
das Gemüse
die Zeitung
der Pullover
die Kasse
das Internet
das Brot

Übung 4, Seite 84
Mögliche Lösungen:
a
– Wie heißt Ihr Lehrer?
– Ist der Unterricht interessant?
– Müssen Sie Hausaufgaben machen?
– Gefällt Ihnen der Deutschkurs?
– Wann fängt die Unterrichtsstunde an?
– Wie viele Schüler sind in der Klasse?
b
– Haben Sie Geschwister?
– Wie heißen Ihre Eltern?
– Wann haben Sie Geburtstag?
– Wo wohnt Ihre Großmutter?
– Haben Sie auch Kinder?
– Sehen Sie Ihre Familie am Wochenende?
c
– Welche Farbe mögen Sie gern?
– In welchem Geschäft kaufen Sie ein?
– Was brauchen Sie für eine Reise?
– Wie viele Schuhe haben Sie?
– Ist das Ihr Lieblingspullover?
– Welche Kleidung brauchen Sie für eine Party?

Texte bauen
Übung 1, Seite 85
Mögliche Lösungen:
a 4; b 2; c 6; d 3; e 7; f 5; g 1

Übung 2, Seite 85
Mögliche Lösungen:
Mein Name ist Susanne Merz. Ich bin 35 Jahre alt.
Ich bin Deutsche und komme aus Berlin. Ich

wohne jetzt in München in der Kantstraße. Meine
Muttersprache ist Deutsch, ich spreche aber auch
gut Englisch und ein bisschen Spanisch. Ich bin
Lehrerin von Beruf. Meine Hobbys sind wandern
und Gitarre spielen.

Übung 3, Seite 86
ich – habe – aus – Sprechenkurs – englisch – sage –
studiere – Deutschland – Freizeit – mache
Ich heiße Lauren McMillan, ich bin Engländerin.
Ich bin 20 Jahre alt. Ich wohne in England in
London. Aber jetzt bin ich in Deutschland und besuche einen Sprachkurs. Ich wohne hier in einer
Wohnung mit einem anderen Mädchen, sie ist
auch Engländerin. Ich spreche natürlich Englisch,
das ist meine Muttersprache. Ich kann gut Französisch und lerne jetzt noch Deutsch. Mein Hobby
ist Sport, ich spiele gern Tennis.

Bitten, Auffordern
Übung 1, Seite 86
a 2; b 2; c 1; d 2; e 2; f 2; g 1; h 2; i 1

Übung 2, Seite 87
a Warten Sie; b Geht, wartet; c Ruf an, erzähl;
d Kommen Sie; e füllen Sie aus; f Frag; g Nehmt,
schreibt; h lies; i Buchstabieren Sie; j Gib ab

Übung 3, Seite 87
du
1 Nimm ein bisschen Kuchen. 3 Steig bitte ein.
4 Iss kein Fleisch. 5 Lies bitte laut. 8 Frag deinen
Lehrer.

Sie
2 Bitte, geben Sie mir das Buch. 6 Zeigen Sie mir
bitte das Foto. 7 Wiederholen Sie den Satz.

Übungen zum Sprechen
Übung 1, Seite 88
a Ich bin Lennart Christiansen. Ich bin 42 Jahre
alt, ich komme aus Schweden. Ich bin Ingenieur
von Beruf. Meine Muttersprache ist Schwedisch.
Ich spreche auch Englisch und jetzt lerne ich
Deutsch. Ich reise gern.

b Mein Name ist Emilia Pavaretti, ich komme aus
Italien. Ich bin verheiratet und habe zwei Kinder.
Italienisch ist meine Muttersprache. Meine
Hobbys sind lesen und Filme sehen.

c Ich heiße Min Ru-Jun. Ich bin 19 Jahre alt und
komme aus Nanking in China. Ich bin seit drei
Monaten in Berlin. Ich möchte Archäologie studie-

ren, darum lerne ich Deutsch. Ich kann schon Englisch und Französisch. In meiner Freizeit reise ich viel oder gehe ins Theater.

d Ich heiße Andreu Jankovich und bin in Prag geboren. Ich bin Lehrer von Beruf; ich unterrichte Mathematik an einem Gymnasium. Ich spreche gut Englisch und Italienisch und jetzt lerne ich Deutsch. Ich arbeite gerne am Computer.

Übung 2, Seite 92
a Petersen: pe – e – te – e – er – es – e – en
b Gualtieri: ge – u – a – el – te – i – e – er – i
c Meyer- Zubrowski: em – e – Ipsilon – e – er – Bindestrich – zett – u – be – er – o – we – es – ka – i
d Dubacek: de – u – be – a – ze – e – ka
e Zarbaresch: zett – a – er – be – a – er – e – es – ze – ha

Sprechen Teil 2
Übung 1, Seite 91
Mögliche Lösungen:
a
1 Haben Sie viele Bilder in Ihrem Zimmer?
2 Wie viel Miete müssen Sie bezahlen?
3 In welcher Straße wohnen Sie?
4 Haben Sie einen Balkon?
5 Ist die Küche groß?
6 Wie viele Zimmer hat Ihre Wohnung?

b
1 Mögen Sie gern Fisch?
2 Gehen Sie oft ins Restaurant?
3 Essen Sie lieber Kartoffeln oder Pasta?
4 Welches Obst essen Sie gern?
5 Wann gibt es Abendessen?
6 Was ist Ihr Lieblingsgetränk?

c
1 Mit wem sind Sie am Wochenende zusammen?
2 Mit wem möchten Sie einen Ausflug machen?
3 Gehen Sie oft mit Freunden ins Restaurant?
4 Wen wollen Sie zum Geburtstag einladen?
5 Mit wem möchten Sie eine Reise machen?
6 Haben Sie viele Freunde im Kurs?

d
1 Was machen Sie in der Mittagspause?
2 Finden Sie das Fernsehprogramm interessant?
3 Wie viele Stunden sind Sie im Sprachkurs?
4 Was essen Sie zum Frühstück?
5 Was machen Sie am Abend?
6 Um wie viel Uhr gehen Sie ins Bett?

e
1 Gehen Sie im Urlaub ins Hotel?
2 Lieben Sie das Meer?
3 Fahren Sie mit dem Auto ans Meer?
4 Kennen Sie ein gutes Reisebüro?
5 Reisen Sie gern mit dem Flugzeug?
6 Waren Sie schon oft im Ausland?

f
1 Fahren Sie mit dem Zug in den Urlaub?
2 Haben Sie ein Fahrrad?
3 Wie oft nehmen Sie die U-Bahn?
4 Wie kommen Sie zur Arbeit?
5 Fahren Sie lieber mit dem Zug oder mit dem Auto?
6 Wo kann man hier Fahrkarten kaufen?

Übung 2, Seite 92
Mögliche Lösungen:
a
1 Nein, nur 2 Fotos.
2 Nur 350 Euro!
3 In der Brandenburger Straße.
4 Nein, es gibt keinen Balkon.
5 Ja, sie ist sehr groß.
6 Drei Zimmer.

b
1 Ja, ich esse gern Fisch.
2 Nein, es ist zu teuer.
3 Lieber Kartoffeln.
4 Ich esse gern Bananen.
5 Um acht Uhr.
6 Tee.

c
1 Mit einer Freundin.
2 Mir meiner Schwester.
3 Vielleicht einmal im Monat.
4 Alle meine Freunde.
5 Mit meiner Familie.
6 Ja, wir sind alle Freunde.

d
1 Ich esse in der Mensa.
2 Nein, es ist langweilig.
3 Jeden Tag vier Stunden.
4 Ich trinke nur Kaffee.
5 Am Abend lerne ich Deutsch.
6 Um Mitternacht.

e
1 Nein, die Hotels sind zu teuer.
2 Ja, ich schwimme sehr gern.

3 Ja, mein Freund hat ein Auto.
4 Nein, leider nicht.
5 Nein, ich mag das Flugzeug nicht.
6 Ja, in England und in Amerika.

f

1 Nein, wir nehmen das Auto.
2 Nein, ich habe kein Fahrrad.
3 Ich fahre nie mit der U-Bahn.
4 Ich gehe zu Fuß.
5 Mit dem Auto.
6 Dort am Schalter.

Sprechen Teil 3

Übung 1, Seite 93
a Bitte geben Sie mir eine Briefmarke. – Tut mir leid, ich habe keine.
b Schreiben Sie mir doch eine E-Mail! – Ja gern, das mache ich.
c Ruf mich doch auf dem Handy an! – Ja gut, wie ist deine Nummer?
d Können Sie bitte ein Foto von mir machen? – Gern, wie funktioniert das?
e Hören Sie sich mal diese Musik an! – Die Musik ist wirklich schön!
f Fahren Sie doch mit dem Fahrrad! – Das ist eine gute Idee.
g Gib mir deine Jacke! – Nein, mir ist kalt.
h Nehmen Sie doch Kuchen! – Nein danke, ich möchte nichts.
i Mach bitte den Kühlschrank zu. – Okay.
j Können Sie mich zur Arbeit mitnehmen? – Steigen Sie ein!
k Meinen Schlüssel bitte, Nummer 350. – Bitte sehr.

Modul 5: Simulation

Hören Teil 1, Seite 96
1 b; 2 a; 3 c; 4 c; 5 c; 6 a

Hören Teil 2, Seite 98
7 Richtig,; 8 Falsch; 9 Richtig; 10 Falsch

Hören Teil 3, Seite 98
11 c; 12 b; 13 a; 14 c; 15 c

Lesen Teil 1, Seite 99
1 Richtig; 2 Falsch; 3 Richtig; 4 Falsch; 5 Falsch

Lesen Teil 2, Seite 100
6 b; 7 b; 8 a; 9 b; 10 b

Lesen Teil 3, Seite 103
11 Falsch; 12 Richtig; 13 Falsch; 14 Richtig; 15 Richtig

Schreiben Teil 1, Seite 105
1 fünf; 2 drei; 3 ja; 4 15. Juli; 5 Auto

Schreiben Teil 2, Seite 106
Mögliche Lösung:
Lieber Christian,
Du kommst nächste Woche. Leider kann ich Dich nicht vom Bahnhof abholen, ich muss arbeiten. Aber Du kannst mit der Straßenbahn zu meiner Wohnung kommen: Nimm die Linie 3 und fahr bis Giselastraße. Da wohnen wir. Noch einmal die Adresse: Giselastraße 4. Meine Frau ist zu Hause. Bis bald.
Lieben Gruß
xxx

Sprechen Teil 1, Seite 106
Mögliche Lösung:
Ich heiße …
Ich bin …
Ich komme aus …
Ich wohne jetzt in …
Meine Muttersprache ist …
Ich spreche auch …

Ich bin … von Beruf.
Mein Hobby ist …

1. Zum Beispiel: FAU – I – ER – A – GE
2. sieben – sieben – acht – sechs – drei – zwei – eins

Sprechen Teil 2, Seite 107
Mögliche Lösungen:
Was machst du am Wochenende? – Ich mache eine Ausflug.
Wann hast du Feierabend? – Leider erst um sieben Uhr.
Was sind deine Hobbys? – Lesen und Tennis spielen.
Hast du hier viele Freunde? – Nein, hier habe ich nur zwei Freunde.
Machst du Sport? – Ja, ich spiele jeden Tag Tennis.
Siehst du gern fern? – Nein, ich lese lieber.
Was bist du von Beruf? – Ich bin …
Wo ist dein Arbeitsplatz? – Johannesstraße 3.
Wann hast du Pause? – Um 12 Uhr.
Wie heißt die Firma? – Media und Co.
Arbeitest du mit dem Computer? – Ja, ich habe einen guten Computer.
Wohin fährst du im Urlaub? – Nach Hause, nach Ungarn.

Sprechen Teil 3, Seit 109

Mögliche Lösungen:

Gib mir bitte die Flasche Saft. – Hier, bitte.

Kannst du mir das Buch leihen? – Morgen, ich lese das Buch heute.

Ich brauche eine Fahrkarte. Können Sie mir helfen? – Leider nein, ich habe keine Zeit.

Mach bitte das Radio leise. – Warum, das ist nicht laut.

Kann ich bitte eine Tasse Tee haben? – Nein, tut mir leid, wir haben nur Kaffee oder Mineralwasser.

Gib mir bitte deinen Kugelschreiber. – Hier, bitte.

Ich habe keine Jacke, kann ich bitte deine Jacke haben? – Ja, hier, nimm sie.

Mein Handy ist kaputt. Kann ich dein Handy haben? – Nein. Das geht leider nicht.

Geben Sie mir bitte das Foto. – Hier, bitte.

Kann ich bitte Ihren Ausweis haben? – Einen Moment bitte.

Kann ich bitte die Rechung haben? – Gern, einen Moment.

Kann ich bitte meinen Schlüssel haben? – Welche Zimmernummer?